D0290236

Antonio Ferres nació en Madrid en 1924. Una infancia y una adolescencia difíciles le llevaron en los años duros de la postguerra civil a ejercer diversos oficios. Obtuvo el título de perito industrial y trabajó algún tiempo en un laboratorio de investigaciones técnicas. Desde 1956 en que obtuvo el premio Sésamo se ha ido entregando progresivamente al quehacer literario. Colabora en distintas revistas españolas y extranjeras. Su primera novela «La Piqueta», publicada por ediciones Destino, apareció en 1959. En 1960, Biblioteca Breve publicó un libro de viaje escrito en colaboración con Armando López Salinas: «Caminando por las Hurdes», que se ha traducido a distintos idiomas. En 1962 se publicó la versión italiana de su novela «Los Vencidos», todavía inédita en castellano («I Vinti», Feltrinelli, Milán). Permanece igualmente inédita «Al regreso del Boilas», posterior a «Los Vencidos» y anterior a la presente. Recientemente ha aparecido un segundo libro de viaje «Tierra de Olivos», sobre los campos y pueblos de Córdoba y de Jaén.

El asunto de CON LAS MANOS VACIAS se inspira en un error judicial cometido en 1910 y reconocido por los tribunales en 1926, que mantuvo 15 años en presidio por supuesto homicidio a dos hombres a quienes se obligó a confesar un delito que no habían cometido. Sin embargo, la novela, aunque partiendo de aquella situación en el lugar y en el tiempo, especula con absoluta libertad con unos personajes que nunca existieron, más atenta a las consecuencias de los hechos en las personas que los vivieron en segundo plano que a los personajes que en la narración aparecen como víctimas del error de justicia. Con una fuerza extraordinaria Ferres revive la atmósfera de la vida aldeana en la España del primer cuarto de siglo y pone sobre todo de relieve los complejos mecanismos de defensa de una comunidad que vive enquistada en el espacio y en el tiempo.

CON LAS MANOS VACIAS

Primera edición
(Primer a tercer millar), 1964

Núm. de Registro 6.331 — 63
Depósito Legal B. 10.868. — 1964
Printed in Spain

Antonio Ferres

Con las manos vacías

Seix Barral

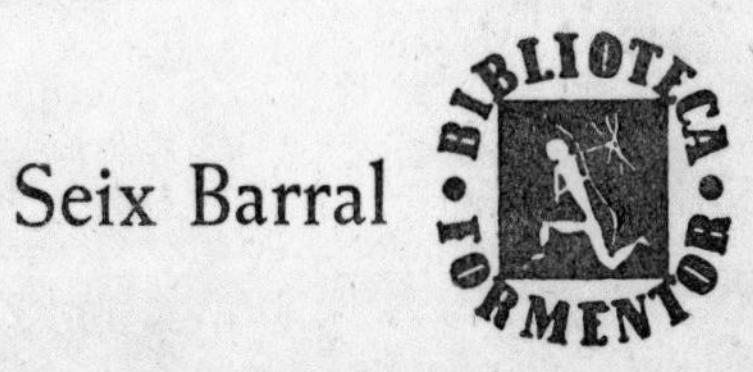

...«hay fundamentos bastantes para estimar que la confesión de los reos Valero y Sánchez, base esencial de la condena, fue arrancada en el sumario mediante violencias inusitadas»...

(del Preámbulo de la Real Orden del Ministerio de Gracia y Justicia. Gaceta del 30 de marzo de 1926.)

...«Que por el fiscal del Tribunal Supremo y conforme a los números 2.° y 3.° del artículo 954 de la Ley de Enjuiciamiento Criminal, se interponga recurso de revisión contra la sentencia recaída en la causa cuyo sumario y rollo llevan, respectivamente, los números 94 del Juzgado de Belmonte y 765 de la Audiencia de Cuenca, de 1910, por la que fueron condenados León Sánchez Gascón y Gregorio Valero Contreras, como responsables de la muerte violenta de José María Grimaldos López, cuya existencia actual ha sido acreditada, habiendo fundamentos para estimar que fueron arrancadas por violencia a dichos reos sus confesiones sumariales»...

(del Artículo 1.° de la Real Orden del Ministerio de Gracia y Justicia. Gaceta del 30 de marzo de 1926.)

NOTA DEL AUTOR. — Los hechos que se cuentan en esta novela, pueden ocurrir en cualquier lugar y tiempo, cuando la sociedad se estanca o se adormece. Pese a las referencias a un caso judicial concreto, la novela es de mi absoluta invención. Hay tantas zonas oscuras en el célebre *error de Tres Juncos,* que, difícilmente, podría reconstruirse una crónica. Leyendo los periódicos y documentos de la época, tenemos la impresión de que algo se deshace en nuestras manos. Quizá porque, como llegó a escribir entonces en el diario *La Voz* un célebre publicista: «En un pueblo donde el hombre huye inocente de la justicia es porque en su templo hay ídolos como el de Puri» (1) (2).

---

(1) "El carro de Juggernaut" (*La Voz,* 10-III-1926).
(2) Puri, ciudad sacerdotal de la India.

1

Hacía un sol tibio, y el tiempo tiraba a fresco cuando venían soplos de viento venciendo las copas de los cipreses lejanos y removiendo los setos. Nos habíamos reunido unas cincuenta personas, formando un gran corro alrededor de las tumbas. No eran sepulturas como las del pueblo, sino espacios de tierra con la superficie justa para un cuerpo, limitados por cuatro muretes de ladrillo. En la tierra no existían plantas, ni hierbajo alguno. Hasta habían sido arrancadas, previamente, las chapas de hojalata o las cruces de hierro forjado, sobre las cuales se leyeron nombres de personas, el RIP, o donde —en ciertos casos— había existido una fotografía del difunto. Aguardábamos tanta gente, cuando llegaron tres hombres vestidos correctamente, muy justos y prietos los nudos de sus corbatas negras. Cada uno de aquellos tipos llevaba una pequeña carpeta debajo del brazo. También estaban esperando desde hacía tiempo —echando un cigarro— los enterradores. Serían como una docena, en alpargatas, con sus blusones de rayadillo y ladeadas sus gorras del Ayuntamiento.

—Cuartel número tal. Voy a leer los nombres de cada difunto. Hagan el favor de estar atentos —dijo uno de los encorbatados. Usaba gafas de vidrios gruesos, tenía la cara ancha, excesivamente afeitada y como blanda, con un bigotillo fino y recto. Vestía una camisa raída por el cuello y una americana azul marino. —...Pedro Matos Menéndez, María García Pérez, Margarita Sánchez López, Anastasio Martínez García, María del Rosario Artigas Gómez, Pedro Castillo Estrada. ¡Aquí! —señaló con el dedo a uno de los huecos—, Joaquín López López, Antonio García Soria, Pilar Toledo Domínguez, Julián Pérez Frutos, Antonio García Chacón, Blas Méndez Blanco, Carlos Fernández Martínez, Adela Ferrer Rodríguez... ¡Aquí!

En cada pudridero había cabida para siete u ocho cuerpos de hombres y mujeres, colocados uno encima del otro y separados, convenientemente, por unas paletadas de tierra. Los enterradores, distribuidos en cuadrillas de a tres, se pusieron a cavar sin descanso. Habían descubierto varias tumbas. Se inclinaban sobre los hoyos e iban sacando las espuertas llenas de tablas, restos de ropas y huesos.

Nos habíamos partido en pequeños corros, medio desperdigados. Algunos hombres tomaron asiento en los bordes de los muretes próximos. Por la carretera que penetraba hasta cerca de las tumbas, se acercó una camioneta gris, pequeña, de caja al aire libre, con matrícula del Ayuntamiento de la capital. Los enterradores habían descargado grandes espuertas de esparto, picos y palas y muchas diminutas cajas cúbicas de madera de pino, sin pintar, rústicamente fabricadas. Junto a cada pudridero se había colocado un oficinista. Y los obreros del Ayuntamiento trabajaban todos al unísono, como si tuvieran prisa. Sacaban la tierra apisonada entre los muretes de ladrillo. Surgía una tierra húmeda y colorada; luego venían trozos de tablas, clavos y huesos.

El hombre que estaba picando en lo hondo, dejaba un momento la herramienta y echaba en la espuerta, a puñados, la tierra, huesos, y —podía ser— una suela de zapato, un trozo podrido de tela o la hebilla de un cinturón. Izaban con cuerdas la espuerta llena. Otro enterrador bajo y cetrino, de ojos cansados, iba rebuscando, alocadamente, con las manos, entre la tierra pastosa y húmeda de la espuerta.

—¿A usted no le toca todavía, señorita? —me preguntó una mujer alta y greñuda.

—No.

—Yo no me hubiera sentido tranquila si no hubiera venido a reclamarlos. Son de mi hermano el mayor.

Mucha gente esperaba calladamente, con los ojos vacíos, o como borrachos y felices por la tibieza del sol. Dos hombres habían hecho un aparte y se pusieron a fumar.

—La vida no es ná, ná —dijo uno de ellos—. Comer y gozar es lo que le queda a uno de esta vida.

—Es la pura verdad —dijo el otro.

—Por favor, que me quita el sol —dijo el más hablador, mirando a un muchacho joven, despechugado, que se había puesto delante.

—En mi barrio solíamos decir que los hijos de cura son los que no dejan sombra, ¡fíjese! —murmuró sonriendo el otro, mientras echaba por la boca el humo del cigarrillo.

Mientras tanto, los enterradores seguían izando las espuertas desde lo hondo con las sogas. Salía la tierra disparada desde las fosas y caía formando montones. Iban y venían los sepultureros con las espuertas llenas de restos humanos y de tierra húmeda. Siempre los seguían dos o tres personas, dando traspiés entre los muretes de ladrillo y los montones de tierra.

María del Rosario Artigas. ¡Aquí! —gritó uno de los oficinistas.

Dos mujerucas echaron a andar, apretando el paso, entre los terrones, detrás del hombre de la espuerta. Iban gimoteando. Se pararon donde descansó el enterrador. En seguida se puso a rebuscar en la espuerta y a echar los huesos en la caja de madera. Una de las mujeres sacó un duro del bolsillo, debajo de la falda, y no paraba de gemir. El enterrador la miraba y siguió un instante registrando con las dos manos en la espuerta. Sacó un trozo de tela, que parecía cuero, y otros pequeños huesos olvidados.

—Ya —dijo, parando su labor y limpiándose las palmas en el blusón—. Gracias —se guardó el duro, a la vez que tapaba la caja.

Llegaba el murmullo de las conversaciones, estallaba algún llanto y la ansiedad que surgía a golpes, de cuando en cuando, alrededor de las tumbas. Rodaban los terrones desde el montón, y se me metió tierra dentro de los zapatos.

—Hace frío donde no da el sol —dijo la mujer despeinada.

—¡Ana Fernández Ruiz! ¿Están? —gritó el hombre de la carpeta, empinándose.

Vimos que echaban a correr tres mujeres y una chiquilla como de doce años, de cara asustada. Una vieja sola, aparte, se había puesto a forrar con un papel de estraza la caja de madera, mientras esperaba su turno. Sobre la caja había un nombre escrito a lápiz. Parecía que rezara la vieja, en voz muy baja, mientras hacía dobleces al papel y le daba vueltas en las manos.

—¿Viene por alguien muy allegado? —me preguntó la mujer situada a mi lado. Se quitó el pelo de la frente—. Marzo ventoso —sentenció.

—Es uno del pueblo de mi madre, que estaba aquí de guarda del Retiro. Vengo por hacer un mandado de un tío mío, que es cura —dije.

Iban echando en la caja de la camioneta los huesos que nadie reclamaba. Miré al cielo, que parecía una lámina uniforme y azul. Estaba deseando que leyeran el nombre de José Huete, el que en las conversaciones entre mi tío y mi madre llamaban Pepillo. Yo sabía que a Pepillo lo había colocado mi tío de guarda del Retiro, y que hacía veinte años había muerto. No podía acordarme de su cara, ni si era alto o bajo. Pero yo era la única persona que tanto por lo que habían hablado mis padres delante de mí, como por lo que habían procurado callar, podía escribir la historia de Pepillo y de las cosas que ocurrieron en su pueblo hacía cerca de treinta años; cosas que —es verdad— no todas tienen sitio en mi memoria. Ni nadie me las ha contado. Son más de treinta años transcurridos, y no tengo esa edad. Pero ante mi vista han pasado otros hombres, hechos y situaciones semejantes. Y pienso que no hay gran diferencia entre un hombre y otro, acaso haya algo referente al funcionamiento de sus nervios y sangre; mas los separa —sobre todo— una acumulación de hambres y de prejuicios. Sonaban los huesos, al caer sobre la caja de la camioneta. Estaban manchados de tierra y tenían tal color que, de no haber sido por las calaveras, me hubieran parecido cortezas de árbol. Se oían muchos clamores de gente, en medio del silencio. Trabajaban los empleados, cavando e izando las espuertas, en muchos pudrideros a la vez. Sudaban y trabajaban silenciosamente, jadeando, deteniéndose apenas para respirar. Se empinaba la gente alrededor de las fosas. Algunos estaban cogidos de la mano. Un hombre chaparro, con trazas de campesino, se había encaramado en lo alto, con los pies hundidos en el montón de tierra.

—Comer, beber y gozarla lo que se pueda —dijo uno de los que fumaban. Se sentó en la cajita de madera. Sonaba el ruido de los huesos que iban llenando hasta rebosar la camioneta.

2

El caso es que no sabía qué hacer con la carta. Se la había dado Nemesio, el peatón, cuando se tropezaron por pura casualidad a la salida del Rosario en casa de la difunta Consuelo. De manera que llevó la carta en la mano hasta su casa. Leyó la dirección torpemente escrita con letras casi dibujadas, temblonas. Calzaba unos zapatones negros manchados de barro, y cruzó la calle, alzándose la sotana. Leyó la carta en la mesa camilla, espatarrado y sintiendo en los muslos —en la parte más lampiña y tibia de los muslos— el calor del brasero. Tardó un rato en darse cuenta de lo que se trataba. Leyó y releyó la firma, y no cabía duda de que era del Pastor, por lo menos el nombre lo era. Se puso en pie, con la carta en la mano, y volvió a meterla dentro del sobre. Estuvo dando vueltas por el pasillo, aunque se notaba rígidos los tendones. Volvió a sacar la carta, y a leerla, y a guardarla de nuevo en el sobre. Salió otra vez a la calle. Le caían hilachos desde la sotana. Tenía frío y le temblaban las carnes. Le corría un hormiguillo de frío por la espalda.

La calle larga, estrecha, arañada de huellas de carros, pasaba entre los tapiales. Sólo al lado izquierdo era terreno firme. Siguió por allí, pegado al tapial, raspando el muro con el cuerpo, rozando el manteo en los adobes, en los adobes amontonados, secos cada verano y húmedos cada invierno, que constituían el tapial. Llevaba puesto el manteo, porque había tenido que ir al Rosario. Mas todo el pantalón y los bordes de la sotana los tenía manchados de grasa, yeso y cascarrias de barro. Llegando a la puerta de la tapia, arrebujó la carta que llevaba en la mano. Por la abertura de la sotana se guardó la carta en el bolsillo del pantalón. Había un trozo de calle empedrada con adoquines redondos, como sembrados entre el barrizal. La casa del Médico estaba pintada por fuera de almazarrón, con una raya más oscura que hacía de zócalo. Resaltaba la casa entre las otras, blanqueadas hacía varios años y ya sucias. Era de un solo piso, con dos ventanas enrejadas. Estaban entornadas las maderas; pero se oía dentro el murmullo de la conversación, y —a ratos— la risa de doña Flor, de su marido y del Alcalde.

Le hubiera gustado más que no estuvieran allí reunidos y esperándole para tomar el chocolate. Metió la mano dentro del bolsillo del pantalón. Se cambió la carta al otro bolsillo, separándola del pañuelo arrugado y húmedo.

Abrió la puerta Brígida. Sobre el arcón había una bayeta oscura. Olía a petróleo.

—¿Estás ahora de limpieza?

—Sí, don Pedro —se agachó para besarle la mano. Le caían las greñas por la cara.

—Don Pedro, señor Cura —gritó desde dentro doña Flor—. Pase usted. Estábamos haciendo tiempo para la merienda.

Se incorporó en la silla el Médico. Vestía una chaqueta negra, raída por los codos, y una camisa de tirilla, sin cuello, pero que conservaba puesto el pasador dorado. Era grueso, con ojos pequeños y sanguinolentos, la cara redonda y la papada medio cubierta de barba y de diminutos granos.

—A las buenas tardes.

—Me he acercado a decirles que no me esperen para merendar. No sé si podré venir.

—Bueno... ¿y el chocolate? —se echó hacia atrás en la silla el Médico—. Déjese usted de gaitas, don Pedro. Se toma por lo menos la merienda con nosotros. ¡No vamos a ponerle torreznos, no! —se rió solo—. Chocolate claro y picatostes. Aguate padre que te pillo.

—Claro, hombre —dijo el Alcalde—. ¿Es que está usted malo?

—Ya no estoy para darle castigo al cuerpo —torció el gesto, y tomó asiento en el borde de la silla que le había acercado doña Flor—. Me voy a ir en seguida. Tengo que hacer —añadió, mirando al Alcalde.

El Alcalde tenía un bigote grande y canoso, con manchas amarillentas del tabaco. Llevaba traje de pana, como siempre, y botas con corchetes y largos cordones atados en lazada. Se puso a reír, de pronto, tocándose el bigote.

—Aquí, Eladio, que me está metiendo el veneno de las elecciones, y tiene miedo de lo que van a hacer los conservadores después de la muerte de don Mariano Macías.

—¿No quiere usted siquiera una copita de aguardiente, don Pedro? Tráete una copa limpia, Brígida —se volvió hacia la puerta.

—A ver si le decís a ésa que se peine y se pase la lendrera. Siempre va con los pelos en greña —forzó otra vez la risa el Alcalde.

—¿Eh, don Pedro?, ¿una copita?

—No, gracias, Flor. No quiero. Solamente me he dado un rodeo para decirles que no me esperen. Además, me voy a acostar temprano.

—¿Le pasa algo? —preguntó el Médico.

—No...

Sobre la larga mesa del comedor había un frutero de loza vacío, y encima del frutero un *Blanco y Negro* con la pasta rota y los bordes de las hojas abarquillados. En la pared una fotografía de boda, color sepia, y otra de un soldado mozo que se daba un aire a don Eladio: ojos asustados, uniforme oscuro y quepis colgándole en la mano derecha.

Brígida se había asomado a la puerta, pero había vuelto a retirarse cuando se enteró de que don Pedro no quería la copa de aguardiente.

Estuvo un rato sentado, mirando a un lado y a otro. Para hablarles de la carta hubiera preferido que no estuviera presente doña Concha. Sobre todo, ella, con la manía que tenía de entremeterse en todo. No había manera de hablarles así. Lo mejor sería que no corriera la noticia, por si era o no era verdad que estaba vivo el Pastor, y por el lío que pudiera resultar de aquello. Cruzó las manos, encajando los dedos unos con otros, y miró, un instante —sonriendo torpemente—, a las fotografías y al toro de loza que había en el aparador. Pensaba que era ya muy tarde para que se le hubiera ocurrido casarse a aquel demonio de pastor. Sería ya mozo viejo, con cuarenta y pico de años; sólo unos pocos más joven que él. Le dolía la cabeza, y se había puesto a rezar por lo bajo, bisbiseando, como tenía costumbre cuando esperaba con el libro en la mano.

—Entonces... ¿qué le parece lo que dice don Eladio de las elecciones en Cuenca, eh, don Pedro?

Se levantó, de pronto, desde el borde de la silla. Tenía las piernas y los riñones un poco doloridos. Doña Flor fue la única que se puso en pie.

—Bueno... si se emperra en marcharse... —dijo el Médico.

Salió doña Flor hasta la puerta. Brígida quedó un poco retirada, mirándoles de soslayo. Corría en la calle un cuchillo de aire frío. Tiró por el centro del pueblo, camino de la iglesia, pisando en la tierra más firme. No tenía ya remedio lo de la carta, ni lo que había pasado en el pueblo durante más de quince años, aunque se pusiera a rezar. Tenía ganas de irse a su casa para rezar sentado en la mesa camilla, hasta que se apagara el brasero. Había engordado un poco y estaba menos ágil. Le dolían las rodillas, cuando rezaba en el reclinatorio. Tenía que hacerlo sentado a la mesa, descansando los brazos sobre el tapete bordado. Volvió a tocar la carta dentro del bolsillo, por si se le había perdido o no estaba allí milagrosamente; pero tropezó con ella.

El cielo estaba raso y caía mucha luz y un sol amarillo y bajo, frío. Soplaba sin parar el aire. Se encogió entre el manteo. No había nadie.

Era a media mañana. Había dos guardias y un cabo, donde terminaba el tapial, casi a la puerta de la casa de Cándido. Se pusieron los tres civiles separados el uno del otro, dejando en el centro a Perico, a Ceferino y a su mujer.

El Cabo apoyó el mosquetón en el suelo. Se levantó el tricornio y se pasó la mano por la frente, para limpiarse el sudor de entre el charol y la piel. Tenía la cara gorda, tostada y brillante. El uniforme sucio, con marcas blancuzcas por las axilas.

—¿Quién de ustedes conocía a José Huete Martínez?

—¿A quién?

—Es a Pepillo el pastor, el pobre —dijo Ceferino.

—En los pueblos nos conocemos todo el mundo, ya saben —dijo la mujer.

El Cabo terminó de limpiarse el sudor con la mano, y se encajó el barboquejo en el mentón. Miró agriamente a la mujer: delgada, con un pañolón negro a la cabeza, vestida de negro de arriba abajo, altona y de pies grandes, con zapatillas negras. Se volvió para mirar a los hombres.

—¿Saben dónde vive el padre del tal José Huete?

—Pasada la casa aquella blanca. Hay que subir hasta la senda.

—¿Tenía la víctima alguna enemistad en el pueblo?

—Mire... enemistá enemistá, que un servidor sepa, no tenía —dijo Perico.

—No, no tenía —dijo Ceferino.

—¿Festejaba con alguna moza?

—No paraba mucho en el pueblo, con el pastoreo... Yo creo que no festejaba.

—Ustedes, ¿a dónde van?

—Un servidor y aquí, mi mujer, íbamos a la huerta por ver de coger alguna lechuguilla, y el vecino...

—El vecino ya contestará, cuando se le pregunte —cortó el Cabo.

—Cruzaba pa mi casa. Uno está mano sobre mano hasta que empiece la sementera.

Los dos números seguían con los mosquetones colgados del hombro. La mujer se tropezó con las miradas de los dos, convergiendo sobre ella, con los ojos quietos de los guardias. Bajó los ojos y volvió a levantarlos y a tropezarse con la mirada de los civiles. Caían paradas las sombras y sonaba la tela de los uniformes y el ruido de las botas contra las chinas del suelo reseco. Continuaban espatarrados, sin despegar los labios. Olían a sudor.

—¡Vámonos! Y ustedes no se meneen del pueblo, que no se vaya ningún vecino sin mi consentimiento.

—Uno sabe bien poco del negocio, bien lo sabe Dios —dijo Ceferino.

—Eso quien tiene que decirlo es la autoridad, ¿eh? —dijo el Cabo volviendo la cabeza, todo el cuerpo. Levantó la voz, al tiempo que se colgaba el mosquetón.

—Ceferino —dijo la mujer.

Marcharon los guardias calleja arriba, por una suave cuesta llena de sol que cegaba, de calorín subiendo desde el suelo hasta cortar la respiración. El Cabo iba delante, pegado al tapial, a la pequeña raya de sombra que apenas le cubría ni le enfriaba la cabeza y el lado derecho del rostro. El centro del suelo de la calle era paja, polvo fino y boñiga; olor a boñiga que se podía mascar. Se levantaba una polvareda amarilla con el paso de los guardias. Los vecinos los vieron marchar por la calle, que enfilaba hacia el centro del pueblo. Unos chicos se asomaron a un corral. Echaron a correr, cuesta arriba, para alcanzar el paso de los guardias, que no les hicieron ningún caso, como si no existieran los chicos.

Llegaron a casa del Alcalde, de Blas Santos. Tenía la casa un portalón por el que entraban los carros hasta un corral interior, empedrado en parte con losas irregulares de piedra caliza y cubiertas de paja y polvo. La misma entrada era la de la vivienda. Se detuvieron un instante los guardias civiles al sentir el golpe fresco de la sombra del portalón. Descansaron los mosquetones, y se quitaron los barboquejos. Se movieron con la mano, un poco, los tricornios, que llevaban encajados en la cabeza. Resopló primero el Cabo.

—¡Cómo pega el condenao sol!

—Sí, buena solanera que cae por toda esa cuesta.

—Sí.

Los chicos descalzos, andrajosos, se pararon afuera, a pleno sol. Eran tres, de alrededor de diez años. Miraban, con las caras bobas, a los civiles. Uno de los chiquillos no le daba descanso a la cabeza, rascándosela con la mano derecha, clavándose las uñas entre el pelo. En la izquierda llevaba una vara de olmo. Otro, se asomó hasta la misma sombra del portalón. No hablaban los chicos.

Salían voces por una puerta abierta que, salvando un tranquillo, desde el portal, daba entrada a la vivienda. Las hojas de la puerta estaban abiertas y eran de madera sin pintar, vieja y carcomida. El primero en asomar la cabeza desde dentro fue Ramón Capote, un hombre en mangas de camisa, con pantalón de pana y zapatillas esparteñas. Tenía los ojos listos y la cara y el cuello requemados del sol. Se le notaba la raya del sol hasta donde empezaba el cuello de la camisa, y se le veía una pechuga blanca, muy pálida. También se asomó el propio Blas, el Alcalde. Llevaba una chaqueta de pana echada por los hombros. Se tocó el bigote negro y grande, con la mano.

—Pasen ustedes. Buenos días nos dé Dios —dijo.

—Buenos días, señor Alcalde.

—Entren, Cabo. Ahora se va a acercar el Médico. Nos hemos citado aquí por si nos necesitan, para lo que podamos ayudar en la busca de los criminales o criminal. En Osmilla no se había visto cosa semejante.

—Que lo digas, Blas.

—Nos dijo la guardesa del Ayuntamiento que estaban aquí. ¿Conocían a la víctima, claro? —preguntó el Cabo, endulzando la voz, llevándose la mano a la tirilla y al sudor del cuello.

—Sí, señor, que lo conocíamos, y era un buen mozarrón. Hace sólo un par de años que había vuelto de servir al Rey, y desde zagal se dedicaba al pastoreo por cuenta de Capote.

—Estaba a mi cargo, sí, señor. Son buena familia, y su padre había estado de criao de joven con los Macías. Vinieron al pueblo con una tierra en arriendo.

—¿No tienen ustedes ninguna sospecha?

—Unas mujeres dicen que le vieron entrar a él y a otro en una caseta apartada que llaman casa del Arroyo.

—Ya.

Los guardias habían buscado un espacio de la pared, y medio se recostaron, mientras hablaba el Cabo.

—Siéntense, si gustan. Traen ya buena caminata andando desde Talmonte, ¿no?

—A ver. Así es el servicio —dijo el Cabo.

Hicieron un corro de sillas, todas altas y de asiento de madera, y se acomodaron. Los dos guardias quedaron un trecho más allá, con los respaldos de las sillas casi arrimados al muro. El Cabo se espatarró, sentado, y dejó descansar el mosquetón entre los muslos.

—¿No tenía madre?

—Vive sólo el padre y una hermana que es menor de edad. No cae muy retirada la casa.

—Bueno, señor Alcalde —dijo el Cabo endulzando de nuevo la voz—. Yo querría permitirme ir citando en la Casa-Ayuntamiento a algún paisano sospechoso. Creo que sería el lugar más apropiado.

—Usted puede ordenar aquí, ahora. El caso es que se haga justicia como Dios manda.

—...

Entró el médico sin avisar. Era un jovencillo delgado con granillos en la cara. Iba fumando un cigarro puro muy mordido por la punta. Vestía una chaqueta marrón llena de lamparones y era el único que gastaba corbata. Tomó asiento, cuando los otros iban a ponerse en pie.

—Me he entretenido viendo a unos enfermos —dijo, dirigiéndose al Cabo. Luego, medio se volvió a los paisanos—. Por cierto que creo que la tía Casilda dicen que se pasó toda la noche oyendo ladrar al perro, y preocupada porque su hijo estaba ausente.

—Le toma usted la filiación al hijo de esa tal Casilda, y a ella, si está en disposición —dijo el Cabo dirigiéndose a uno de los números.

—A sus órdenes —se tocó el guardia uno de los bolsillos de la guerrera, donde llevaba una punta de lapicero.

—Tenemos que ver antes el sitio donde dormía el Pastor —miró interrogante a Capote—. Y hablar con sus parientes.

—Si quieren vamos ahora mismamente.

Se pusieron todos en pie, y se produjo cierta confusión en la puerta, cediéndose el paso, por ver quién debía salir en primer lugar. Los chiquillos seguían asomados a la entrada del portalón. El Médico salió, por fin, encabezando el grupo. Apenas había andado unos pasos, cuando un viejo de cara lela, boquituerto, echó a andar a la vera del Médico.

—Don Eladio, mire usté cómo tengo de hinchado el ojo

—se tocaba con el dedo encima del párpado—. Mire, don Eladio. No sé lo que habrá sido... —iba el viejo tomando carrerilla, señalándose el ojo colorado y lloroso. Seguía los pasos del Médico.

—Déjeme, déjeme, ¡coñe! Eso luego, en mi casa.

Los chiquillos andrajosos y el viejo se quedaron muy atrás.

Todo el grupo que iba con los guardias marchaba en silencio, en fila de a uno, buscando la raya de sombra del tapial. No soplaba ni una brizna de aire, y ahogaba el calor.

—Es por aquí —señaló inútilmente Capote.

El suelo estaba cubierto por completo de chirle seco y compacto, duro por las pisadas y quemado por el sol. Había un corral tapiado y una cabaña construida con tablas podridas y retamas secas.

—La casa del pastor está al otro lado, en aquel altozano.

3

Siempre veían llegar a la gente por la senda. La casa caía a mitad de la loma, pasada la revuelta, y el camino no iba a ninguna parte sino era a la casa. Era una edificación de un solo piso, sólo las cuatro paredes con dos ventanucos. Y el corral y los tapiales. Vivían allí Justino —el padre del Pastor— y una hija que no tendría cumplidos los quince años. Detrás, había como dos fanegas de tierra de labor, de cereal, que trabajaba Justino como arrendatario de los Macías. La araba él solo, con una yunta de mulas. Pocas veces le echaba una mano su hijo, sobre todo desde que trabajaba de pastor con el rebaño de Capote. La chica era quien atendía a la cocina, limpiaba la casa y cuidaba a los animales: unas pocas gallinas y un cerdo.

Hacía ya diez años que Justino, su mujer y sus dos hijos habían llegado al pueblo. Era un terreno malo lleno de guijarros y de piedras blancas y rojas, comido por el yeso, que estuvo muchos años sin labrar. Justino no paró hasta quemar las malas hierbas, y removió de arriba abajo la tierra. Entre toda la familia hicieron montones con las piedras blancas y rojas y con los guijos, en los extremos del terreno. Desde el sendero, viniendo del pueblo, se veían los montones sobre la tierra colorada, al final de los derechos surcos. Se han visto siempre estos montones de piedras. La historia que escribo es el origen de mi vida; y, a mí, las pirámides de piedras con hierbas crecidas, me parecían sepulturas muy antiguas o fortines de la guerra. Estuve en el pueblo durante los años del hambre, y, quizá, me viene de entonces el afán de desenterrarlo todo. Aunque nada vaya a hablar de mí.

El dueño de aquella finca era don Mariano Macías, un rico de Talmonte, que tenía tierras en casi toda la provincia. Nunca había ido don Mariano a Osmilla, pero se sabía en el pueblo que Justino era persona de su confianza, y que visitaba a su amo en la Cabeza de Partido todos los inviernos, cuando cedían las labores del campo.

Cuando Justino enviudó, el hijo era ya mozuelo. El hombre, el chico y la niña fueron a la iglesia los días en que se rezaban las misas. Justino atravesó encorvado las calles del pueblo, mirando al suelo. Cogió de la mano a la hija, y seguidos por el mozuelo entraron despacio hasta el altar. Estuvo Justino arrodillado todo el tiempo en el suelo de la iglesia, ensimismado, sin darse cuenta de nada. Al salir les siguieron, de lejos, una media docena de chiquillos, que les miraban extrañados; pero Justino ni siquiera se dignó volver la cabeza. Los chicos de Justino y los otros sí se miraron entre ellos. Lo cierto fue que, luego de morir la madre, los hijos de Justino bajaron alguna vez al pueblo. La chica iba a Misa todos los domingos y fiestas principales, y Pepillo terminó por colocarse de zagal, más tarde, de pastor a jornal, para guardar el rebaño de Capote. Pocos días se le veía en la taberna; pero con quien más se trataba era con Braulio, el hijo de la tía Casilda, la Partera; y con otro mozo jornalero, entrado en años, nombrado Crisanto, y que casó al poco con una muchacha pobre hija también de jornaleros.

Justino aró la tierra el último año. Había envejecido mucho, y el reuma le tenía medio inútiles los brazos y la pierna izquierda. Solamente le quedaban fuerzas para cuidar un trozo de huerta. Y la gente se preguntaba si el amo no iría a tomar otro arrendatario. Intentaban sonsacarle a Marta, la hija, cuando bajaba al pueblo a vender los huevos, pero nadie conseguía arrancarle palabra.

Fue la chica la primera en acercarse al pueblo, para decir que su hermano no había vuelto a casa en toda la noche. Llevaba el pelo suelto y un sayal zurcido y viejo que debió ser de su madre, pues le arrastraba. Habló Marta con toda la gente que encontró en la calle. Nadie supo darle razón. Bajó varios días, mañana y tarde.

—Vete a saber —decían las mujeres—. A los hombres a lo mejor les da una ventolera y se van a América.

—O se presenta cuando menos te esperas —decían otras.

Faltaba tres o cuatro días de casa, cuando unos vecinos dijeron que la noche de su desaparición habían visto al Pepillo dirigirse con otro hombre hacia una casería que había a la salida del pueblo. Fue a partir de ese día cuando empezó a correrse por el pueblo la sospecha de que habían matado al Pastor. Hasta en la Cabeza de Partido hablaban de ello. Justino esperaba de un momento a otro la visita de la guardia civil de Talmonte, porque así se lo habían comunicado de parte del Amo, de don Mariano Macías.

Vio venir a los guardias con el Alcalde, con Capote y con el Médico. El sol estaba ya bajo, pero pegaba a más y mejor, cegaba casi a ras de tierra. Y no cedía el bochorno. Se asomaron el viejo y la mozuela a la puerta. Justino les esperó recostado en el muro de la casa, afuera, guiñando los ojos para protegerse del sol.

—Ya vienen, padre.

—Cuando lleguen te retiras —dijo él.

Marta se fue al corral, antes de que entraran en la casa. No había sitio donde sentarse todos, y se quedaron un rato en pie. Los guardias, el Alcalde, el Médico y Capote, formando corro alrededor del viejo.

—Usted es el arrendatario de don Manuel Macías el

de Talmonte, ¿no? —preguntó el Cabo, carraspeando, por romper el hielo de la conversación.

—Para servirle.

El Cabo hizo una señal a uno de los guardias para que fuera anotando.

—Vamos a ver —continuó—. El Señor Juez de Talmonte tendría todo más claro si hubiera denuncia sobre persona conocida, que no así. Don Mariano también está en este empeño. ¿No tiene usted sospechas de ningún vecino?

—Ya le he escrito al Amo, que no —dijo el viejo.

El Cabo miró al Alcalde y a los otros; movió la cabeza como indicándoles que de alguien debía saber Justino, si bien tendría miedo o reserva para señalar.

—Piénselo bien.

—No sé. Ya sabe lo que han dicho las gentes: que vieron al hijo camino de la casería donde ese Crisanto y su mujer se encargan de la crianza de los cerdos.

—Sí —dijo el Cabo. Se volvió para cerciorarse de que el número estaba escribiendo—. ¿Había hecho su hijo de usted alguna cobranza en esos días?

—Había vendido unos corderos que eran nuestros y que llevaba en el rebaño de aquí —señaló a Capote.

—¿Cuánto dinero?

—Ciento sesenta reales.

—Anote con letras: ciento sesenta reales —dijo el Cabo—. ¿Y quienes fueron las mujeres que vieron a su hijo entrar en esa casería?

—Fueron una tal Encarna y la hija de uno que llaman el Lucero. Pero dicen que no conocieron bien quiénes eran los hombres.

Oyó la respiración de la chica, detrás, asomada a la puerta del corral. Estaba ella con las manos apoyadas en el quicio de la puerta, y se recortaba su silueta con el resol.

—¿Frecuentaba el trato su hijo con algunos vecinos?

—Con todos. Pero, ya sabe, con unos tenía más amistá que con otros —miró alrededor, como avergonzado—. Yo no puedo decir ná contra nadie.

—Va a ir usté un día de estos por Talmonte, ¿no? —preguntó cambiando de tono el Cabo.

Justino había dado unos pasos medio cojeando, y se apoyó en un garrote blanco que había arrimado a la pared.

—Sí, tengo que hablar con don Mariano de la tierra. Yo no quiero dar un paso así, a ciegas —apoyó la punta del garrote en el suelo, y se volvió para cerciorarse de que su hija seguía asomada a la puerta del corral—. Aunque me resiento de esta pierna, tengo que ir sin falta.

Se dieron cuenta de que la chica se había puesto a llorar. Torcía la vista hacia el corral. Pero se oía, de vez en vez, algún ahogado gemido, y se le notaba el temblor y el jadear del pecho, las sacudidas del cuerpo conteniéndose el llanto. Entraba un reflejo de sol y le daba en el hombro, en el vestido pegado a la carne por el sudor. Tenía el pelo recogido en una trenza que también le hacía brillos. El viejo golpeó con el garrote en el suelo, y la niña dejó de gemir. Se sorbía las narices, y casi estaba vuelta de espaldas, mirando al corral.

—Es una lástima, un mozo tan cabal, sí señor —dijo Capote.

—Bueno... —se cortó el Cabo, poniendo voz de respeto—. No creo que tengamos por el momento que cumplir más misión en esta casa.

En el suelo había mazorcas de maíz, desparramadas. Fueron esquivando el montón, para salir. La chica se pasaba la mano por la cara, la mano gordezuela con las uñas sucias. Les miró desde dentro de la casa. Corría un poco de aire, templado, y a ratos caliente, bochornoso. El Médico se volvió para mirar desde la puerta.

—Braulio, el chico de la Partera, era uno de los que más solía ir con tu hijo ¿no, Justino?

—Sí, señor.

La chica volvió a llorar, nerviosamente, y la vieron entrar corriendo hacia el corral.

—Tenemos aún que hacer muchas averiguaciones en el pueblo —dijo el Cabo—. Y también interrogar a esas mujeres y a los vecinos más sospechosos. ¿Quién vive en esa finca en la que dicen vieron entrar al Pastor?

—Crisanto y la mujer, que no tiene muy buena reputación que digamos... —dijo el Alcalde—. Ellos aseguran que cuando estuvo allí el Pastor fue un par de días antes de que desapareciera, y afirman que nada saben al respectivo.

—¿Está muy retirao?

—Mejor es que vayan ustedes de oscurecida. Hay que atravesar un yermo que ¡válgame Dios!

—Todo este asunto es una lastimica, sí señor —dijo Capote—. Una gente tan cabal como los de Justino no se encuentran así como así...

Se notaba el calor surgiendo del suelo, pegándose al cuerpo. Parecía temblar todo el campo achicharrado. Todavía cantaba cerca una cigarra, solitaria, en el aire caliente y empalagoso. Se les nublaban los ojos con el polvo.

—Ha hecho un día peor que el de San Lorenzo, que por algo dicen que asaron este día al Santo en la parrilla.

—Vuélvete, San Lorenzo, del otro lao, que de este estás ya asao, como decimos en mi pueblo, bromeó el Cabo, sin levantar la voz.

Iba delante el Médico. Se quitó el botón dorado del pasador de la camisa, y se lo guardó en el bolsillo del pantalón. Un perro asustadizo, echado a la sombra de un tapial, se levantó y echó a correr. Les miró con los ojos rojos, comidos por la enfermedad.

4

Hacía buena noche, y había cedido un tanto el calor. Don Pedro anduvo deprisa por la calle de los tapiales de adobe. Sentía en la garganta y en la boca —en medio de la oscuridad— el dulzor del polvo que levantaban sus propios pasos al andar. La fachada de la casa del Médico parecía morada, casi negra. No salía más luz que el fulgor temblón de un candil de aceite.

Tenía la casa un gran patio interior, con una perra y el brocal blanco de un pozo. En el buen tiempo, a la oscurecida, sacaba Brígida dos quinqués de petróleo; y los ponía sobre una mesa de madera. Alrededor colocaban sillas de enea y dos sillones de mimbre, para los amos y para los que en su compañía se sentaban a la fresca, después de cenar.

—No creo que tarde en venir. Vendrá ya con Blas. Iban a estar en el Ayuntamiento hasta que se fuera la guardia civil de Talmonte... —se levantó, y le señaló el sillón de mimbre—. Acomódese en su sitio de siempre, don Pedro.

Volvió a sentarse, recostándose cuidadosamente para no deshacerse el moño con el respaldo del sillón. Llevaba un vestido oscuro y raquítico, de falda y mangas largas. Se lo ponía sólo para la tertulia. Era una mujer de alrededor de treinta años, pero ya entrada en carnes, trigueña y con nariz ganchuda.

—He oído que los civiles han preguntado a Crisanto, y a ese que dicen Gachas, y a Braulio, y a otros cuantos mozos. También a las mujeres que dicen vieron las últimas al Pastor.

—Ahora todo va a ser dolerse, don Pedro. Pero alguno tendrá que haber sido el criminal ¿eh, don Pedro?

Se recostó el Cura y lió un cigarro gordo, chupeteando los bordes del papel. Lo prendió con un chisquero de mecha larga, que sacó del bolsillo del pantalón, por la abertura de la sotana. Veía mover, nerviosamente, las piernas a la mujer del Médico. Los quinqués proyectaban la sombra temblona de las sillas, hasta el brocal del pozo.

—Parece que quien se puso muy azorado fue el hijo de la tía Casilda, cuando le preguntaron. Eso dicen. Ese mozo era muy amigote del Pastor —añadió la mujer.

Pasaron un rato en silencio. Dos polillas daban vueltas sin parar alrededor de la luz.

—Desde que le habéis puesto la tapadera al pozo, parece que hay menos mosquitos —dijo el Cura.

—Sí que hay menos.

Al rato llegaron don Eladio y el Alcalde. Venían hablando acaloradamente entre ellos, pero se callaron al entrar en el patio. Flor se puso en pie y don Pedro les miraba desde el sillón de mimbre. Le parecía que estuviesen premeditadamente serios y haciéndose los interesantes, y se limitó a observarles un rato, moviendo socarronamente la cabeza, desde el sillón.

—¿Has cenado ya? ¿Habéis cenado? —preguntó la mujer.

—Sí. Hemos cenado temprano con el Cabo, en la fonda.

—¿Y qué dice la Benemérita? —preguntó el Cura.

Se miraron. Don Blas había tomado asiento en una de las sillas de enea, y el Médico se echó hacia atrás en el sillón que le había cedido su mujer.

—De momento hay sospechas sobre varios vecinos. Creo

que mañana piensa el Cabo hacer alguna detención. Trasladarán a los detenidos al Cuartel de Talmonte —explicó el Alcalde.

—¿Y a los que vieron subir a casa de Crisanto? —preguntó la mujer del Médico.

—Psch. El Cabo parece que quiere que cante alguien, de lleno, aunque tenga su idea sobre el modo en que pudo ocurrir el crimen...

—Y tengo entendido que vendrá más fuerza y el Comandante de Puesto de Talmonte —se echó más hacia atrás el Médico en el sillón de mimbre—. Prepárame una palomita con ese aguardiente granizao, Flor.

La mujer había quedado en pie, y puso los brazos en jarras. Se apoyó con el vientre en el respaldo del sillón de su marido.

—De quienes deben de ser algunos de los sospechosos, ya me imagino yo —dijo.

—¿Quiénes, Flor? —preguntó don Pedro. Hizo una inflexión en la voz, como dejando la pregunta en un tono intermedio entre la forma que empleaba para hablar en la iglesia y la suya propia.

—Bueno..., los guardias sabrán —torció la boca, y se dio la vuelta—. Voy a traerles café negro. ¿Lo quiere usted frío, don Pedro?

—Sí.

—La verdad es que a esto hay que dejarlo en manos de la Justicia, esa es la cosa. Más me fío yo de este Juez de ahora, de don Carlos el amigo de don Mariano Macías, que me fiaría del otro. Ese le dio carpetazo a no sé cuántos asuntos —dijo el Médico—. La justicia tiene que ser la justicia...

—Claro, y con la guardia civil de Talmonte está ahora la cosa en buenas manos —dijo el Alcalde.

—Claro que está —sonrió el Cura, y sacó la petaca, procurando quitarle seriedad al ambiente—. A cada uno lo suyo. Siempre se ha dicho que sabe más el loco en su casa, que no el cuerdo en la ajena.

Habían entrado Brígida con las tazas vacías y un puñado de cucharillas. Doña Flor venía detrás, y se llevó el índice a los labios, indicándoles a los hombres que se callaran delante de la criada.

—Un puchero con café frío y otro con café caliente, Brígida —dijo el ama—, y la botella de aguardiente.

Esperaron a que saliera la moza.

—Buena mancha que le ha caído al pueblo, con el crimen, buena. Y que creo que los papeles no le van a dar descanso —torció el bigote el Alcalde y se limpió con la mano, luego de beber el primer sorbo de café.

Estaban ya todos sentados alrededor de la mesa donde ardían los dos quinqués. Arrimaron un poco las sillas, y la luz les daba de plano en las caras. Las polillas seguían girando y girando en torno a las luces, y en el suelo caía la sombra verdosa del emparrado, como otra noche cualquiera de tertulia.

—Son cosas estas que llegan hasta Madrid y hasta a su misma Majestad, el Rey —insistió el Alcalde.

—¡Cómo si en Madrid no ocurrieran cosas, Blas!

—Cuando aparezca el cuerpo del pobre Pepillo, una misa sí que pagaré yo de buen grado, sí —dijo doña Flor, mirando con ternura.

Don Pedro bebía a pequeños sorbos. Había sacado el librillo de papel, y comenzó a liar el cigarro.

—Fumar, hijos. Fumen —se cortó. Y pensó que, por un instante, se había olvidado del tema de los guardias civiles.

—Usted luego se quejará de los bronquios, don Pedro —sonrió el Médico—. Y a dolerse con que si el demonio de la tos.

—¿No va a acercarse Capote a tomar café? —preguntó doña Flor.

—Creo que no. El pobre está malo, pensando en lo que

le ha pasado al criao, y en los líos que trae siempre un negocio así.

—Válgame Dios...

—Ya verán ustedes cómo se aclara pronto el misterio ¡Buena es la guardia civil de Talmonte! —dijo el Médico.

—Que Dios le oiga a usted, y que tengamos paz y tranquilidad de espíritu —suspiró don Pedro. Echó el humo del cigarro sobre el cristal del quinqué, donde daban vueltas sin parar las polillas.

Oyó un silbido sordo —igual que otras noches— a través de la casa a oscuras, mientras los amos estaban de tertulia en el patio. Brígida atravesó a tientas el largo pasillo, y se asomó a la reja de la ventana del comedor. Era Braulio. Estaba agarrado con las dos manos a los barrotes, recostado todo el cuerpo en la celosía. Venía despechugado, con el blusón abierto. Apagó Brígida el candil de aceite que ardía en el comedor, para que no se vieran las siluetas de ellos dos desde la calle. Afuera sólo había una tenue claridad, y se oía el canto insistente de los grillos. Todavía no había salido la luna.

—Hola.

—¿Qué hay, Brígida? Ven.

—¿No viene nadie? —medio preguntó. Se echó ella también contra la reja, dejándose coger las manos, y las caderas. Braulio se volvía, de vez en vez, para mirar a la calle.

—No viene nadie. ¿Sabes que me han preguntao los civiles sobre lo de Pepillo el Pastor, y sobre la amistad que tengo con Crisanto? A Crisanto le han preguntao ya un par de veces, con malos modos le han preguntao.

—¿Por qué os han preguntao?

—No sé. Dicen que van a preguntarle a tós los hombres. La gente comenta eso. Y el Cabo de Talmonte me ha dicho que no me mené del pueblo, y se ha empeñao en que yo tenía que saber que el Pepillo había cobrao unos dineros por la venta de sus ovejas.

Se abrazaron, con la reja de por medio. Se buscaban el uno al otro, con las manos y el cuerpo. Notaba la moza el olor agrio y el aliento a vino, y, detrás, escuchaba el silencio y el vacío de la casa. Alguna vez se oía ahogada la conversación de los amos, en lo hondo del patio.

—Me da miedo —dijo.

—Miedo, ¿de qué?

—De todo. De que os lleven los civiles. Mis amos no nos iban a ayudar ni una pizca.

—Lo que haya de ser, no lo vas a arreglar tú con cuatro llantos.

—Ten cuidao... —insistió.

—Lo que sea, sonará. Y no vamos a apañarlo ni tú ni yo, aunque nos pongamos a darle vueltas en el magín.

Pasaron un rato abrazados, sin habla, cogiéndose y soltándose las manos. Braulio le abarcaba los brazos entre las manos, casi pellizcándole toda la carne; y, luego, se amansaba, y escuchaba el jadear de la respiración de la moza. Sentía en su cuello las bocanadas del aliento de ella.

—Quítate —dijo Brígida.

—¿Vienen?

—No —dijo ella, apartándose hacia dentro para escuchar lo que pasaba en el interior de la casa—. No vienen.

Volvió a apoyar un instante su cuerpo sobre la reja, enfrente al de Braulio, buscando los huecos entre los barrotes. Sentía las manos duras, atenazándole la carne.

—No vienen, pero vete ya. Es mejor que no nos vean juntos, ni le den a la lengua.

Se separó de golpe, cuando más la echaba de menos. La vio desaparecer, de puntillas por la habitación oscura. Brillaba un toro de loza y se oía el reloj de pared, el vaivén del péndulo grande. Braulio echó a andar por la calleja y torció por otra que salía hacia las huertas. Eran casuchas estrechas y pequeñas, de un solo piso, con puertas sin cerrar, medio cubiertas por cortinas de harpillera. Casi todas las viviendas estaban sin luz. Solamente de vez en cuando temblaba un candil, y surgía el olor quemado a los turbios rancios del aceite de oliva. Oyó el murmullo de una conversación, en el centro de la calle. Se habían parado dos mujeres que venían del río con las cántaras. Era a la puerta de la casa de Ceferino. Conoció a Ceferino y a su mujer. Y se acercó al grupo. Notó que guardaban silencio, cuando le sintieron llegar, y la presencia de los cuerpos, y el brillo de los ojos en lo oscuro.

—¿Qué hay, Ceferino y compañía?

—Nada.

—¿A qué hora vuelven mañana los civiles de Talmonte? —preguntó una de las mujeres—. A mi marido también lo han apuntao. Mi suegra está muertecita de miedo.

—Bueno... el que no tié nada que temer... —dijo Ceferino.

—Eso —dijo Braulio.

—Anda que a ti... ¡Bien que te buscan las vueltas los civiles! —dijo la mujer de Ceferino—. Yo no quiero que vuelvan a llamar mañana a éste.

—A mi padre le han dao de empellones, porque ya sabéis lo que gusta de hacer chanzas —dijo la de la cántara—. Dicen que no vamos a salvarnos nadie de que nos pregunten, ni las mismas mujeres.

—¡Santo Cristo! Si alguien sabe algo de lo del Pastor, ya podía contárselo a los civiles, antes de que la emprendan con tó el mundo —insistió la de Ceferino.

—Calla tú —dijo el marido.

Las mujeres de las cántaras volvieron los ojos, cuando ya habían dado los primeros pasos.

—Que sea lo que Dios quiera, y paséis buena noche.

—A ver mañana, Braulio —dijo Ceferino, con ganas de agradar.

Iba a volverse Braulio a decir algo, pero se quedó cortado, a medio hablar. Tenía también miedo. Y hasta se hubiera ido, de buena gana, aquella misma noche del pueblo. No es que no le tirara el pueblo. Se le llenaban los oídos y el cuerpo entero con los ruidos incesantes del campo en la noche, y le gustaba, en su tiempo, la hermosura del trigo granar, los trigales chisporroteando con el viento y a punto para la siega. Y lo que le tiraba de veras era Brígida. Mirándolo bien le tiraba más que su madre, porque su madre ya se las apañaría en casa de los parientes, o hasta haciendo de partera cuando se terciase. No quería que Brígida fuera para otro mozo, y que retozara a lo mejor con otro, y se quedara preñada y tuviera hijos.

—...Los que no tenemos ná que ocultar...

—Eso mismamente —dijo la mujer de Ceferino.

Braulio siguió andando, dando vuelta por la calle que asomaba a las huertas. Ladraba también esta noche el perro en el corral de Capote, a lo mejor por querencia al Pastor o porque barruntara a muerto. Un gajo grande de luna comenzaba a salir, lejos, detrás de los montes con tomillar. Alumbraba quietamente el campo, a ras. Se veía la sombra apagada de algún árbol en las huertas. Sonaba el correr del riachuelo. Brillaba el agua por algunos lados, haciendo guiños, entre lo oscuro; brillaba como los toros de loza de Cuenca y los espejos en casa del Médico, cuando estaba apagado el candil y Brígida y Braulio se abrazaban en las rejas. Cruzó de prisa, delante del corral de Capote. A la puerta de su casa vio a su madre, sentada, dormitando con la cabeza apoyada en el respaldo de una silla de enea.

—Me había sentao a la fresca. ¿Dice algo la gente de los civiles de Talmonte?

—Comentan y comentan...

—¿El qué?

—Ná. Sólo que volverán mañana a seguir la averiguación.

Entró la tía Casilda, arrastrando la silla. La oía rezongar por lo bajo. Había un candil encendido sobre un poyete de yeso, junto al almirez de bronce; el almirez que siempre —desde chico— había visto allí brillando, en el que había visto machacar a su madre los ajos y los estigmas de azafrán, y que había oído sonar como una campanilla de Misa. Lo miró, mientras retiraba del poyete el candil encendido.

5

Muy de mañana habían llegado dos parejas de guardias a pie. Más tarde —a eso de las nueve, el Sargento, el Cabo y otros dos guardias venían a caballo por el camino. El Sargento montaba un jamelgo colorado, viejo y de poca alzada, que andaba al paso. Le caía al caballo la saliva gruesa, hecha espuma, desde el bocado. Hacía ya calor a aquella hora. Picaba el sol, y no cesaba la polvareda. Levantaron el polvo los cascos de las caballerías, y no parecía que fuera a posarse nunca. El pueblo surgía borroso, con las callejas solitarias y sin rastro de vida, con las casas de un solo piso, con los tapiales color de tierra, que recordaban taludes o daban a los trozos de calles cercanas al campo un aspecto de arroyos secos, de ramblas. Alguna vez —ya entrando los civiles en el pueblo— se movían las ventanas o las cortinas de harpillera de las puertas.

Llegaron los de a caballo frente al Ayuntamiento. La calle se ensanchaba formando una especie de plazuela. También era el Ayuntamiento una modesta edificación de una sola planta, con la puerta abierta de par en par. Las dos parejas de a pie hacían puesto, una a cada lado de la plaza. No despegaron los guardias los labios; pero saludaron y se pusieron firmes en sus respectivos sitios, cuando vieron llegar al Sargento y al Cabo.

—¡Alto! ¡Pie a tierra! —dijo el Sargento, volviéndose,

con la cara seria, mirando a la pareja que cabalgaba detrás. Alzó la mano, y sostuvo la palma abierta en el aire, un instante demasiado largo.

Por la puerta abierta del Ayuntamiento se veía una habitación grande, de paredes desnudas, con una ventana alta. Estaba la habitación rodeada de bancos de madera, pegados a los muros. El Alcalde, que estaba dentro, anduvo despacio hacia la puerta. Venía ya el Sargento, dando largas zancadas, y el Cabo detrás, a la carrera. Tenía el Sargento la cara fina, marfileña, y ojos vidriosos como los de un pez. Miró por encima del hombro del Alcalde, al interior del Ayuntamiento.

—Esto no reúne condiciones, Cabo, ni está seguro para que pernocten los presos. Al caer la tarde habrá que trasladar a los sospechosos a Talmonte.

—Sí, mi Sargento.

—Buenos días —dijo sonriendo el Alcalde.

—Buenos días. ¿Cómo está usted? —saludó el Sargento extendiendo la mano—. Hace mucho que no se le ve a usted por Talmonte, don Blas. Ayer mismo lo comentaba don Mariano...

—Es verdad... —sonrió más abiertamente—. De buena gana sí que iría, sí; pero es antes la obligación que la devoción.

Le ponía contento aquella especie de confianza, y que el Sargento le llamara de don. Miró contento la presencia de los guardias, que iban de un lado a otro, y se cuadraban cuando recibían las órdenes. Vio a un número correr, a lo lejos, con el fusil suspendido.

—Queremos seguir interrogando, más en firme, a algún sospechoso, ¿eh, don Blas?

—Ya le dije al Cabo que estamos a la entera disposición de ustedes.

El Cabo llegó también corriendo por el centro de la plazuela. Sacó un papel del bolsillo.

—¡Moreda! —gritó—. Ustedes vayan por Crisanto García, por Cándido Páez, por Luciano Matías, por Carloto... —se cortó deletreando en voz baja—. Por Carloto Lope o López... —dio media vuelta para mirar a la otra pareja—. Y ustedes Amador, traen a Pedro Romo, Braulio Méndez, Eulogio Soria, Mariano Mata y Antonio Pérez.

Blas pasó un rato mirando hacia afuera, y se puso algo nervioso al ver llegar conducidos a los vecinos. Algunos venían sueltos y otros esposados: la muñeca izquierda del uno sujeta a la derecha del compañero. Los más jóvenes entre asustadizos y cazurros, igual que hacían los mozos que iban a servir al Rey —los que no pagaban la cuota— cuando marchaban conducidos hacia el cuartel. Se miraban los presos la muñeca, y querían como disimular el miedo. Braulio traía la mano que le quedaba libre, metida en el bolsillo del pantalón. Cruzó su mirada con la del Alcalde. No llamaron a Braulio los guardias, de momento. Se quedó entre los que esperaban. Quien entró primero fue Crisanto. Empezaron llamándolos de uno en uno. Era Crisanto achaparrado, rechoncho casi, con la frente surca de arrugas, pese a que era joven. Siempre estaba medio sonriendo. Tenía la cara gordezuela. No sabía qué hacer con las manos juntas, sujetas por los hierros, colgando por delante del vientre. Se sorbía la nariz constantemente. Le dio por ahí. No se atrevía a mirar de frente al guardia que escribía en un papel, a su lado, chupando la punta del lapicero. Mientras el guardia tomaba la filiación, se acercó el Sargento, pálido como un muerto. Sin ton ni son le fue dando empujones a Crisanto, hasta arrinconarlo en la pared, debajo de la ventana grande.

—Que chille, que le oigan los otros chillar.

Los que esperaban en la plaza veían el atropellado entrar y salir de los guardias. Movían los hombres los pies en el suelo, inquietamente, sin moverse del mismo sitio, vigilados por una pareja. Estiraban los campesinos el cuello, como si quisieran ver y oír mejor. Braulio miró al recodo de la primera calleja, y le dieron ganas de salir corriendo tirando de su compañero, de decírselo a su compañero y salir corriendo hasta llegar a algún lugar donde pudieran quitarse los hierros de la muñeca, y esconderse en la sierra y vivir allí como Dios les diese a entender. Pero pensó que les alcanzarían los caballos en cuanto se pusieran a cruzar el campo, que era desnudo y sin un árbol ni mata siquiera de la altura de un perro. Sólo había, en mucho trecho, tomillares y matojos chicos. Miró a los otros paisanos; mas todos parecían haber perdido su primer humor, y estaban cabizbajos, mohínos, como si tuviesen miedo a que los sorprendieran los guardias civiles hablando por lo bajo.

Se oía gritar dentro, y el remolino de los guardias se movía a la puerta del Ayuntamiento.

—¿Quién entró contigo y con el Pastor en la casa del arroyo? ¿Quién?

—Yo no he hecho ná.

—Que le oigan chillar y que le oigan los de afuera —dijo el Sargento.

El Sargento volvió a sentarse. Resopló, y se echó hacia atrás en el banco, estirando las piernas, arañando el suelo con los tacones de las botas y con las espuelas. Crisanto miraba a un lado y a otro, asustado, volviendo la cabeza —a un lado y a otro— como un pájaro, con los ojos muy abiertos.

Se oían los gritos de Crisanto encima, allí mismo, llenando la plaza. Los guardias tenían sujeto a Crisanto por debajo de los brazos, y le arrimaban a la puerta. Braulio vio la cabeza del Alcalde detrás de los guardias.

Mientras, veía Blas a los vecinos formando un grupo desmedrado, a la espera a pleno sol junto a la pareja de guardias. Todos miraban, tiesos, hacia el Ayuntamiento.

—Verá usted como entre los propios detenidos alguno acaba acusando a los culpables —dijo el Sargento—. Y sino cuando se vean en Talmonte, sin que nadie les eche una mano.

Braulio tiró nervioso de la muñeca de Cándido, del que estaba atado a él. Y se miraron los dos. Cándido no dijo nada. Tenía los ojos apagados, como los de una res. Oían los chillidos y los gritos. Veían entrar de prisa a los guardias, el grupo de uniformes, y Crisanto, que se agitaba con los demás en los goznes de la puerta. Braulio miró por toda la plazuela, por las esquinas en sombra que terminaban en el campo desarbolado, yacente bajo el sol; y le daba rabia no haberlo cruzado la noche antes, y haber andado sin parar hasta que se le reventaran los pies. Tiró de la muñeca de Cándido, del hierro que los unía a los dos. Cándido había bajado la vista. Oían los gritos, y las botas arrastrándose en un esfuerzo alrededor del hombre que llevaban junto a las bisagras de la puerta. No sabía quién era. No parecía ya Crisanto. Casi le oían jadear, a lo lejos, en medio del silencio de la plazuela. Y las voces de mando o el eco resonando por lo hondo de la sala del Ayuntamiento, que llenaba todo el pueblo, hasta los más escondidos entresijos.

—Siempre pasa que sean los propios paisanos los que acaban señalando quién es el culpable, ¿sabe, don Blas? —repitió el Sargento, limpiándose el sudor con el pañuelo. Se había puesto otra vez de pie.

—Claro —miró hacia la puerta. Traían a Braulio, solo. Le habían puesto las esposas. Braulio y él se miraron un breve instante.

—¿Profesión?

—Jornalero: el campo.

—Te tratabas mucho con el Pastor, ¿eh? —sonreía el Sargento. Parecía que fuera a reventarle la risa de un momento a otro. Braulio no tenía ojos más que para el Sargento.

—¿Con quién ibas? ¿Sabías que el Pastor llevaba sus buenos dineros encima?, ¿eh?

—¡No! ¡No!

Le llevaban hacia la puerta, despacio, casi a rastras. Todos estaban en pie. Se levantó también el Alcalde y aprovechó el momento de silencio.

—Bueno... ya sabe dónde puede encontrarme —dio unos pasos sujetándose el cinturón. Aprovechó para salir el instante en que la puerta estaba abierta de par en par. Hacía mucho calor. Pegaba a gusto la solanera, por la plazuela y las callejas. Siguió el Alcalde, absorto un instante, sin arrimarse siquiera a la sombra. Iba hacia su casa, pero cambió de parecer; quedó un instante dudando, y tiró hacia casa del Médico. Quería acercarse a casa del Médico, para contar algo. No sabía qué. Más que nada, pensó en dárselas de enterado, y presumir sobre todo delante de doña Flor.

Durante un trecho no se encontró con nadie. Parecía que el pueblo estuviese solitario, a pesar de que en aquella época apenas había labor en el campo. Cuando daba la vuelta a la calleja de la iglesia, vio venir corriendo —oyó antes el trote de la carrera— al chico que hacía de monaguillo.

—¡Señor Alcalde!

—...

—Que si puede acercarse a la puerta de la iglesia, de parte del señor Cura. Le ha visto a usté pasar...

Torció en silencio, a la vera del chico, mirándolo de reojo. Llevaba el pantalón muy corto, andrajoso y andaba en esparteñas. Tenía cara de pícaro. Fue mirando al chico hasta casi la puerta.

—Menuda pieza estás tú hecho —dijo, por decir algo.

La iglesia era demasiado grande para el pueblo, mal cuidada y sus columnas pintadas de yeso. Había una escalinata de piedra raída, que bajaba desde la puerta misma hasta la calle. Estaba don Pedro sobre el último peldaño, sobre el más alto. Tenía los brazos en jarras, y la cara sudorosa, y algo despechugada la sotana.

—¿Qué hay por el Ayuntamiento?

—Van a llevarse a algunos sospechosos a Talmonte. El Sargento me ha asegurado que alguno dirá el nombre de los criminales, no andando mucho tiempo.

Arrugó el ceño el Cura, y se cruzó de brazos.

—¿A quiénes se llevan?

—Al Crisanto. A ese, descartao; y a Candidillo Páez, a Braulio, al Eulogio el Cardillo —iba como rebuscando en su memoria, sin darle mayor importancia—, a Pedro Romo, al Lorenzo... y a otros cuantos más.

—¡Tate! —dijo don Pedro—. ¿No le parece que se llevan mucha gente?... En fin, el Sargento sabrá...

—Sí. Ellos sabrán. Luego nos veremos en casa de don Eladio. Ya les contaré a ustedes lo que opina la benemérita.

El Cura le vio alejarse, y quedó un rato afuera, solo. Se había entrado el monaguillo. Aunque el pórtico estaba en sombra, venía una gruesa bocanada de calor, de bochorno. Le daba en la cara, y se le pegaba al cuerpo; contrastaba con la frescura —el frío húmedo— del interior de la iglesia. No pasó nadie por la calle en aquellos momentos. Tampoco era fácil que fuera a rezar a aquella hora ninguna mujer, porque se habían terminado las misas. Además, tampoco iría a rezar ni siquiera alguna de las viejas: la tía Charro o la Antonia, y menos la tía Casilda. Estaría la tía Casilda preocupada por si se llevaban al hijo preso, estaría esperándole en su casa. En todo caso iría después a la iglesia. Miró él hacia el lado del lugar donde estaba el Ayuntamiento, a los tejados del color mismo que el terreno. Hacía mucho calor.

La iglesia permanecía cerrada durante casi toda la tarde, hasta que amainaba el bochorno. Se pasaba las tardes del verano —la hora de la siesta— en la cama. No había manera de pegar ojo. Sudaba, y daba vueltas, desabrochándose todos los botones de la sotana, y dejaba la puerta abierta para que hubiera corriente de aire. Aquella tarde se levantó un par de veces, para beber a chorro el agua del botijo. Estaba el botijo sobre un plato desportillado, en el balcón, a la sombra de la persiana. A eso de las seis de la tarde vio, desde detrás de la persiana de maderas atadas con alambres, a una moza y a una mujer que pasaban llorando. Se apoyó en las persianas por ver si las reconocía. La muchacha era la hija de Cándido, y corría descalza, desgreñada, maldiciendo a voz en cuello. Fue entonces cuando se vistió, y se lavó las manos y la cara en la jofaina.

Salió un poco más temprano que en otras tardes, y se asomó al campo. Tenía por costumbre pasear un largo rato, cuando ya se había puesto el sol, con la luz de la atardecida. Sabía que aquellos paseos le hacían bien para la salud, le ponían a tono el cuerpo, y —a decir del Médico— le retrasaban su natural tendencia a engordar. Se asomaba a esa parte del pueblo, al camino por el que había llegado hacía sólo tres años en la tartana del cura párroco de la Trinidad de Talmonte. El campo estaba todavía caliente, polvoriento, aunque en la parte baja rodaba el agua por la acequia.

Vio a los guardias civiles que iban con los caballos al paso. El Sargento cabalgaba en cabeza, y se volvía de vez en cuando, para mirar a la cadena de paisanos. Iban atados con sogas unos a otros. Caminaban los hombres a trompicones, sin orden. Corrían, y, a veces, casi se paraban; y corrían otra vez, rápidamente, con pasos cortos, seguidos, como carrerillas de asno. Corrían por no perder la andadura larga de los caballos. Hizo por reconocerles, aunque estaba muy lejos, y no era labor fácil, así, entre dos luces. De los primeros iba Braulio, engallado, con la cabeza levantada, y como apretando las quijadas, de pura rabia. Lo menos eran ocho los paisanos que iban atados a la soga.

Estaba sentado hacía un rato. Tenía las piernas abiertas, metidas debajo del faldón de la mesa camilla, y sentía en los muslos el calor del brasero subiéndole hasta el vientre. El caso era que varias veces había recordado al pueblo tal y como fue hacía quince años, a la extensa mancha de sol que era el pueblo todos los veranos bajo el cielo desnudo: las cuadras y callos y habitaciones comidas de moscas, de zumbidos. Había recordado, sobre todo, la atardecida aquella en que vio llevarse a los hombres, sin darle, entonces, una mayor importancia; la inmensa mancha de sol del pueblo, exactamente como hacía quince años y sería el próximo verano. Le parecía todo más violento, vibrando angustiosamente. Estaba sentado al brasero, y, a pesar de todo, le corrían escalofríos por la espalda. No podía quitarse de encima una turbia sensación de culpa, mientras pensaba si acaso no sería mejor olvidarse de la carta, romperla, como si la hubiese perdido el peatón. Pero la carta estaba fechada sólo unos pueblos más allá, en la Sierra. De modo que el pastor podía venir en cualquier momento y acercarse tanto como el hormiguillo de la conciencia y del recuerdo, después de quince años.

Estaba seguro de que lo que procedía era llamar al Alcalde y al Médico y a Capote, y, a renglón seguido, darle cartas al pregonero si era preciso. Quería creer que si alguien era culpable lo sería en todo caso el juez, que condenó a Braulio y a Crisanto, o los guardias que se los llevaron, sin creer ni una sola palabra. El pueblo en el verano, las calles y las habitaciones donde sólo se movían las moscas; todo le parecía parado, quieto, estancado, como si los sucesos, las situaciones de entonces y todos los acontecimientos hubiesen sido cosa de otro mundo. Permanecía en una quietud dolorosa, en aquel recuerdo estancado que le impedía volver atrás, intentar otra cosa que no fuera remover el brasero. Era más que desidia y pereza. Ni él ni nadie habían creído en la inocencia de Braulio y Crisanto. Nadie salvo mientras vivió la tía Casilda. Pero menos que nadie la mujer de Crisanto había creído en la inocencia de su propio marido. Y menos se fiaba un preso en la inocencia del otro. Siempre se habían echado recíprocamente las culpas del crimen. Ahora todo el pueblo estaba convencido de que fueron Braulio y Crisanto quienes mataron al Pastor. Por algo estaban en la cárcel ya para quince años.

No podía entender que todo se derrumbase con aquella carta. Era como si todo el mundo se le viniese encima. Quizás habría que llamar a la guardia civil otra vez, para que descubrieran quién fue el malintencionado que escribió la carta y la echó al correo, desde un pueblo de la sierra. Por más que le daba vueltas y engordaba la idea en el magín, le parecía raro, imposible, que a nadie se le ocurriera mandar una carta así, con tanta mala sangre.

Removió las brasas con la badila, y sentía más fuertemente el calor en los muslos. Se dio la vuelta, para mirar al reloj de pared. Eran casi las nueve, y ya estaría todo el mundo a punto de acostarse en el pueblo. Quizá debería despegarse del calor del brasero, y dar una voz desde el corral, para que viniese algún niño, y para mandarle con un recado al Alcalde y al Médico. Sentía una urgente necesidad de contar lo que le pasaba, de no llevar él solo, ni un minuto más, el peso de aquella dichosa carta. No se puso el manto, sino un gabán negro, raído, forrado con una pelliza de oveja, que tenía echado a los pies de la cama.

Todo el pueblo estaba silencioso, y muchos vecinos de seguro ya acostados, si acaso quedarían dos o tres borrachos rezagados en la taberna. Salió, a tientas, a la calle oscura, apartándose del brillo de los charcos y del blando barrizal. Temblaban todavía algunos candiles, dentro de las casas. Apretó el paso, por llegar antes de que se acostara don Eladio. Prefería ir antes a casa del Médico.

En la puerta de la tabernilla estaba apoyado el tío Casto. Recordaba don Pedro las cortinas, las masas de moscas que iban de un lado a otro en el verano, allí mismo, y el tío Casto apoyado también a la puerta, borracho, vibrándole todo el cuerpo para sacudirse las moscas, que mordían. Tenía el tío Casto la mano apoyada en el muro, apuntalando su cuerpo; la mano que le había quedado con los dedos agarrotados y sin movimiento, medio paralítica, después del interrogatorio de los guardias. Estaba el tío Casto —el primo de Crisanto— apoyado a la puerta. Tenía echada por los hombros la manta, sin embozar, a pesar del frío. Levantó el tío Casto la cabeza, y anduvo unos pasos apoyado en la pared, sacudiendo su cuerpo como en el verano, cuando zumbaban de un lado a otro, a su alrededor, las cortinas de moscas.

—¡Eh, señor Cura!

Siguió un trecho don Pedro, con la cabeza baja, haciéndose el distraído, como si no viera al borracho.

—¡Eh, señor Cura! ¿Adónde se va?

Casi no le había visto realmente, sólo se había fijado en la mano rota, agarrotada contra la pared o contra la puerta. Siguió de prisa, metiendo los pies en el barro de la calle.

El borracho se había vuelto, para mirar a los otros dos hombres que había arrimados a la mesa-mostrador.

—¡Eh! Ha pasao el Cura —se le doblaba la lengua, y apenas se le entendía—. Ha pazao el Cura —regresó tambaleándose hacia la puerta, y dio un paso por la calle, arrimado a la pared—. ¡Eh! ¿Habéis junao? —se apoyó con las dos manos abiertas, en el muro. Volvía la cabeza y sacudía el cuerpo.

—¡Eh, señor Cura!

Estaban dando los cuartos de las nueve en el reloj de la iglesia. El cielo estaba nublo, con un color mate, como si fuera a nevar. Tenía ganas de encontrarse cuanto antes en casa del Médico, para hablar y hablar, hasta terminar con aquel silencio que le angustiaba. Se metió la mano en el bolsillo del gabán, y tocó la carta arrugada. Oía, a lo lejos, el trabalenguas del borracho que tenía la mano paralítica, que tenía los dedos —índice, corazón, anular y meñique— montados unos sobre otros, como si fueran un solo, torpe y retorcido dedo.

6

Las mujeres se quitaban las alpargatas de esparto en cuanto llegaban al camino, y andaban descalzas. Algunas iban erguidas, derechas, con el hato de ropa a la cabeza. Otras, llevaban un cesto o un serillo de esparto debajo del brazo. Brígida, corriendo, se asomó a la cuesta. Desde cerca del manantial en el que las mozas del pueblo iban a llenar las cántaras, miró al camino carretero. No iba la tía Casilda entre las mujeres. Estaba ya Casilda demasiado vieja, para darse aquella caminata hasta Talmonte.

—Lleva la cantarilla hasta casa de mis amos. Anda, hazme ese favor —le dio la cántara a una niña de siete u ocho años, que estaba llenando un botijo grande—. Te daré una perra chica si me la llevas.

Echó a correr Brígida. Alcanzó a las últimas mujeres, en la carretera. Se quitó, ella también, las alpargatas. Las ató, una a la otra, con las cintas. Era un carril de tierra apisonada y finalmente deshecha, calcinada por el sol, triturada como harina por las pisadas. Cruzaba el camino por el campo desarbolado, de cardizales secos y matojos. En llegando al llano, detrás de unos cerros yesosos, se divisaba ya, lejanamente, la torre de la iglesia mayor de Talmonte, y alguna que otra torre de las iglesias de menor importancia. Se anudó Brígida el pañolón negro, que casi le cubría la cara. Las mujeres iban protegidas contra el sol, y sólo enseñaban la boca, la nariz y los ojos. Para mirar a la compañera que iba al lado, tenían que torcer toda la cabeza. Se le veían a Brígida los ojillos relucientes y la cara cetrina, no tan quemada por la intemperie como la de las otras mozas. Era temprano. Todavía no tenía toda su fuerza el sol, pero el día era caliente, cegador, fundiéndose con toda la inmensidad de la tierra casi blanca.

—Anda, que como se enteren tus amos de que te has venido —dijo una de las que llevaba el hato a la cabeza, sonriendo y sin volver la cabeza.

—Y qué...

—Te has escapao a ver al Braulio el de la Casilda, y festejabas con él, sin que lo sepan los amos —dijo sin mover siquiera los ojos.

Fue Brígida pegada al borde del camino. No hizo caso. Echó una carrerilla, para marchar a la vera de la Pepita, la hija de Eulogio. Se puso a caminar al compás del paso de la otra muchacha. En otro tiempo, de niñas, habían sido como hermanas. Cegada por el sol, miró a una tórtola que volaba sobre la carretera. Hubo de hacer visera con la mano, miró hacia Talmonte. Se le hacía muy largo el camino. Fueron un trecho en silencio. Luego, de rato en rato, alguna mujer se ponía a cantar, o se llamaban unas a otras, a voces. Descansaban las que iban en cabeza, y, entonces, se paraban todas, porque no se desperdigase el grupo. Era como si tuvieran miedo de llegar desperdigadas a Talmonte. Brígida no quería llegar sola. Cuando todas paraban, se sentaba a descansar junto a Pepita.

—Ya no falta ni media legua.

—Sí.

—Si el Braulio sabe algo, tenía que decirlo, pa que no paguen justos por pecadores —dijo Pepita—. Hasta la mujer del Crisanto está pagando encerrada con la criatura. Aunque sea bien puta, no es de justicia que la encierren con la criatura.

—Braulio no sabe ná. Se hablaba con el Pastor, y no le tenía inquina, ni le quería mal.

—¿Te lo ha dicho a ti?

—Claro que me lo ha dicho.

—Habría que ver.

Siguieron sin hablar, pero al mismo tiempo como buscando un aparte de las demás. Pepita era baja y carirredonda. Tenía unas manos gordezuelas, carnosas, con las que sujetaba la cesta de esparto sucia y maltrecha. Habían sido igual que hermanas. Contaba la misma edad que Brígida, y habían vivido en casas inmediatas, en una calleja que daba al campo por el lado de las huertas. Cuando eran muy crías, y todavía no podían ayudar en nada, correteaban hasta la acequia, persiguiendo a los caballitos del Diablo, azules o rojos, que planeaban sobre los charcos de agua. Andaban entonces las dos chicas tan pronto muy amigas, como a la greña, peleándose por quítame esas pajas. El padre y la madre de Brígida habían muerto jóvenes, en la epidemia de cólera que dejó diezmado al pueblo. Fue cuando no dejaba de doblar a muerto la campana de la iglesia, lo mismo en Osmilla que en Talmonte y en todos los pueblos de alrededor. Los carros de mulas pasaban entonces, todas las mañanas, recogiendo a los muertos. Y los vecinos que hacían de enterradores marcaban con una cruz de yeso las puertas de las casas donde había cólera. Brígida, con la casa cerrada, en la penumbra, veía vomitar constantemente a su madre, y el cuerpo de su padre extendido, yerto en el suelo, sobre una esterilla de pleíta, junto al fogón apagado de la cocina. Apenas si tenía fuerza la madre para moverse. Miraba a la hija con los ojillos pequeños, hundidos en su cara arrugada, de la que colgaban los pellejos. Después de enterrar a los padres, se llevaron a Brígida a casa de Pepita. Durante mucho tiempo no se habló más que de la peste; y se contaban mil historias de los difuntos, de las personas que habían tenido que enterrar sin caja ni requisito alguno, envueltos sólo en un costal. Decían que muchos no estaban ni siquiera muertos cuando los enterraron, pues con el cólera pierden los enfermos calor del cuerpo y hasta el pulso. Afirmaban que después de enterrados se habían removido en la tierra, y se habían incorporado en la fosa con las manos crispadas y reventándoles las cuencas de los ojos. Brígida vivió un par de años en casa de sus vecinos, de los padres de Pepita. Ya tenía edad de ayudar en el trabajo, y la encargaron que cuidara los animales. Salía al campo a recoger hierba para los conejos. En primavera corría con un saquillo al hombro y una hazada en la mano; y llegaba hasta muy lejos. Se pasaba los días enteros en el campo, sola, descansando a ratos, tumbada en los repechos de los cerros cubiertos de hierbajos y en las cunetas de los caminos. Volvía jadeando, cansada y hambrienta, a la oscurecida. Entonces apenas si se hablaba con Pepita; hasta se tenían rabia. Brígida odiaba a su amiga, porque imaginaba que los padres le daban más de comer que a ella —algún mendrugo mojado en aceite de oliva— o que rebañaba a escondidas la sartén de las gachas de almortas guisadas con la grasa de dos o tres torreznos. Oía cuchichear, a la madre y a la hija. Y las odiaba cada vez con más fuerza. Cuando tenía Brígida trece años cumplidos entró de criada en casa de doña Flor. Se hartó de pan: de los mendrugos que sobraban en la mesa, y de lentejas con lechón, y de patatas viudas, sin más aliño que un poco de pimentón y unas hojas de laurel. Pasaba una vida aburrida, que en los primeros años le costó mucho trabajo soportar. Lloraba, a veces de pura rabia. Se asomaba a las rejas de las ventanas, o se tumbaba para mirar por la gatera de la puerta, cuando oía el traqueteo de los carros de mulas. Miraba con envidia a los carreteros que cantaban y decían blasfemias por los caminos, arreando a las bestias. Hasta envidiaba a los perros que iban atados a los carros, tras las patas de las caballerías. Veía salir los carros camino de Talmonte o de Albacete, de Toledo o de la Corte. También oía el ajetreo de las espigadoras en verano, en los días de la siega. Deseaba pasar el día entre los barbechos o entre la polvareda de las eras, montada en las trillas que iban y venían incesantemente, como cuando era chica. Y en septiembre se le saltaban los ojos mirando a las mozas de la vendimia. Sólo la sujetaba el hambre, y el miedo porque era una muchacha sola, sin un hombre o mujer que la protegiera. Únicamente se encontraba a gusto cuando salía de noche con las cántaras a la cadera, y se llegaba hasta el manantial. Gastaba chirigotas con las chicas, y hablaban entre ellas de los mozos que se iban al Moro a servir al Rey, y de los que habían dejado encinta a la novia, para que no se fuera con otro en el entretanto. Fue así como empezó a festejar con Braulio.

—¿Se va a casar contigo el Braulio? ¿Te lo ha dicho? —le preguntó Pepita.

—Festejamos, ¿qué pasa?

—¿Le traes algo?

—Tengo seis reales ahorraos pa comprarle lo que se tercie en Talmonte.

Echaron a andar todas las mujeres, por el camino. Y en llegando a la Cabeza de Partido, se detuvieron nuevamente para calzarse. Casi todas se pusieron las alpargatas, se ataron las lazadas y se colocaron los pañolones en la cabeza, antes de entrar en Talmonte.

La gente salía al camino o se asomaba a puertas y ventanas, señalando con el dedo a las mujeres que venían.

—Mira, son las de Osmilla: las del pueblo del crimen —decían.

—Mirarlas. Vienen como si ná —dijo un viejo que estaba junto a un chiquillo.

Había casas de adobe, y calles estrechas que desembocaban en una plaza de soportales, grande. Se veían chiquillos sentados en el suelo, a la sombra de las casas; chiquillos que apenas se andaban, con las cabezas llenas de costrones de suciedad. Estaba empedrada la calle principal, con guijarros y cantos. Y la plaza de los soportarles tenía aceras hechas de losas, medio hundidas entre la tierra y el polvo. Existía una taberna en la plaza, con dos pellejos de vino colgados a la puerta, uno a cada lado. También en la plaza principal había algunos bancos de madera, desperdigados por el centro, en una especie de panza de tierra recrecida color rojizo. Se asomaban dos hombres a la puerta de la taberna. Miraban sin pestañear a la fila de mujeres.

El cuartel caía detrás de la plaza, en una calleja angosta en la que nunca entraba el sol. Llegaron las mujeres, y fueron dejando en el suelo los hatos de ropa, los cestos y los capachos. Unas mozas se sentaron en un tranquillo que había en la calleja, y otras se pusieron en cuclillas, formando corro. El cuartel era un edificio de dos pisos, que parecía antigua casa señorial, lleno de desconchones, cuarteado y con manchas de verdín.

Brígida se adentró por el pueblo, para comprar algo. Las calles estaban solitarias en aquella parte. Sólo en un portalón vio a una vieja bordando sobre un bastidor. En los corrales se oían los soplidos y los golpes de los cascos de las caballerías. Había muchos conventos en el pueblo, con ventanas enrejadas y altas. Por fin se tropezó con un almacén donde había colgadas herramientas, alpargatas y aperos de labranza, entre sacos de legumbres y de algarroba, quesos amontonados y botes de tomate en conserva.

—¿Se sabe ya quién es el criminal? —le preguntó el tendero.

Ella se quedó sorprendida de que la conocieran. Compró una libra de chocolate y salió medio avergonzada, negando con la cabeza. Tenía la impresión de que todo el mundo la conocía. Y volvió por las mismas calles solitarias. En llegando al cuartel oyó el llanto de una mujer. Se habían arremolinado todas las paisanas. Hacían corro en torno a la Juana, la mujer de Crisanto. Terminaban de dejarla libre, y había salido a la calle, llevando en brazos al chico de tres meses. Se quedó plantada en la calle, sin hablar palabra, el pelo lamido, flaca, los ojos abiertos, vidriosos como los de un pez. Iba envuelta en la toca, medio tiritando a pesar del calor. Se notaba que había usado la toca negra para dormir en el suelo dentro del calabozo, porque estaba sucia de yeso y de telas de araña. Fue en el momento en que llegaba Brígida cuando rompió a llorar la mujer de Crisanto, entre hipos, ahogándose.

—¿Y a nuestros hombres cuándo los sueltan? —dijo una de las mujeres.

—No sé nada —movía la cabeza, entre gemidos. Miraba sólo a la criatura. Se buscó, con rabia, debajo de la blusa sucia. Sacó un pecho fláccido, con el pezón largo como un dedo—. Mirar —había puesto la boca redonda del hijo en el pecho—. Mirar, me he secao. Estoy seca... ¿y ahora qué? —lloraba sin lágrimas, apretándose el pecho vacío con la mano que le quedaba libre—. ¿Y ahora qué?

Brígida se quedó unos pasos separada del grupo, hasta que se fue Juana. En el silencio que se hizo en la calleja, le pareció que venían voces ahogadas desde el interior del cuartel.

Seguro que era el hecho de haberse tropezado con el primo de Crisanto, con el borracho de la manta, lo que le trajo cosas viejas a la memoria. Anduvo a tientas por la oscuridad, camino de la casa del Médico. Sentía, al mismo tiempo, una bola dura en el estómago y un regusto avinagrado en la boca. Iba recordando el pueblo de hacía quince años. Pero no tenían vida ninguna las cosas que recordaba. Le parecían historias contadas por otro, muertas, y en las que él no hubiera tenido arte ni parte, ni siquiera hubiera estado presente. Eran como un libro, ¿qué diferencia había? En las ferias de Talmonte paseaba a la vera del párroco de la Trinidad, con los viejos. Sólo era la vida charlar y charlar. Y llegaban hasta detrás del tumulto de gente, y se empinaban estirando el cuello detrás de los últimos curiosos que rodeaban las barracas y los tinglados de tablas. Estaban viendo las espaldas del mocerío o de los mozos y mozas con sus chanzas y sus apreturas pecaminosas. Y estar detrás venía a ser igual que no ir a ninguna parte. Porque algún entresijo tenía que fallar, alguna cosa tenía que deshacerse entre los dedos para que, ahora, la historia del crimen de Osmilla se viniera abajo.

Don Mariano Macías ya había muerto. Y fue don Mariano quien, en Talmonte, redactó la denuncia contra Braulio y Crisanto; pues ya las mujeres aquellas reconocieron en Braulio y Crisanto a los paisanos que habían entrado con el Pastor en la casa del Alto. Y firmó la denuncia Justino, el padre del Pastor. Fue posiblemente hacia la feria de septiembre, después de la vendimia, o podía haber sido para las procesiones, en primavera. Sacándole del asunto del crimen, por el cual había todavía dos hombres presos, lo demás se mezclaba todo en su cabeza, y ni siquiera le parecía verdad. Se juntaba el mismo personal para las procesiones que para las ferias: los vecinos de Talmonte y la gente que venía de Osmilla y de los otros pueblos de alrededor. Se agolpaban en la plaza, bajo los soportarles, o a lo largo de las calles, arrastrando los pies arriba y abajo, hasta un momento de que pasara la procesión. Luego, quedaban formando filas en los bordes de las calles. —«¡Cuánto valorío tiene ese manto de la Virgen Santísima, madre mía!»— decía la gente. Y cuando pasaba el Cristo o la Dolorosa con las lágrimas brillantes y las llagas de sangre pintada, se santiguaban las mozas. Y alguna mujer vieja repetía siempre: —«¡Ahí, van! ¡Padeciendo por todas las culpas nuestras!». Las mozas y los mozos corrían como ciegos, empujándose con las manos abiertas, temblorosas y pícaras, por las calles oscuras y estrechas, para alcanzar la procesión en otro trecho de la calle principal. Tampoco el Juez, ni don Mariano Macías estaban entre la gente. Veían la procesión desde los balcones del Ayuntamiento, y caían al fin por el Casino.

Era don Mariano un tipo estirado de porte. Iba siempre pisando fuerte, engallado, como si mirase algo que fuera sólo suyo y no de Dios. Aunque ya por entonces estaba grueso y con la cara embotada, miraba con descaro; sobre todo, a las hembras. Nunca le fue simpático. Don Mariano solía cogerse del brazo del Párroco de la Trinidad de Talmonte o del Juez. «¿Qué hay, señor Cura de Osmilla?», le decía. No solía decirle nada más, salvo cuando el pueblo de Osmilla estuvo de moda por aquello del crimen. Tenía poca importancia don Pedro en otras ocasiones, y don Mariano Macías tenía buenas tierras en la provincia y en las de Albacete y Toledo. Solía viajar poco, pero recibía visitas de señores de Madrid, gente que venía de la Corte. Para los pueblerinos, aquellos que llegaban eran personas extrañas, que hablarían sabía Dios de qué y parecían seres de otro mundo. Como esa vez cuando vinieron dos hombres en un coche automóvil, en el primer automóvil que se veía en Talmonte. Lo rodearon los vecinos, y los chicos se acercaban a tocarle las ruedas, con una mezcla de miedo y admiración; y los viejos decían: «No, si no hay caballería ni persona dentro». Y se persignaban las mujeres. Todo el pueblo acudió frente a casa de don Mariano y se pasó la gente horas y horas mirando, esperando que arrancara el auto, por ver cómo andaba solo. Fue lo del auto un año o dos antes del crimen, y por entonces don Mariano Macías se había tropezado pocas veces con don Pedro. Solamente le había saludado de pasada, sin hacerle caso.

Con el crimen hasta le invitó a su mesa del Casino. «Hombre, ¿está usted por aquí, señor Cura de Osmilla?», —alzó Macías la voz, para que le escucharan desde las otras mesas—. «Ha quedado bien redactada la denuncia, y en manos del Juez de Instrucción. Ahora no se van a escapar los culpables de ningún latrocinio, como ocurría con aquel juez descreído». Hablaba estirado en la silla, golpeando con los puños levemente el mármol de la mesa. Estaban abiertos los ventanales que daban a la calle principal, a la calle llena de gente endomingada. Se reflejaba la luz de la atardecida en los espejos del Casino, colocados tan altos que casi tocaban el techo cargado de moscas. Y al rato el mozo se subía a una silla, para prender el quinqué.

El pueblo de hacía quince años, y Talmonte, su vida entera, tenía que referirla siempre a algo que parecía arrancar en el crimen aquel. Todo lo demás lo era por añadidura, y se repetía en su interior aquella impresión de ir montado en un carromato, entre una gente que *él* no había elegido como amiga. «¿Y han confesado ya los criminales?», preguntaba alguien desde las otras mesas del Casino de Talmonte. Paraban de dar vuelta a las fichas del dominó o las conversaciones. «¿Han confesado ya?». El crimen era la comidilla en Talmonte y en toda la región, por aquellos días. Lo comentaban las mujeres cuando se cruzaban a la vuelta de la fuente y hacían un descanso con las cántaras en el suelo, y lo comentaban en las tabernas y las barberías. «¿Se sabe si han confesado ya los criminales?». Cuando alguien le preguntaba, don Pedro movía siempre la cabeza, negando. Nadie podía responder a esa pregunta a ciencia cierta. Pero todos torcían un poco el gesto, como dando a entender la certidumbre de que los presos terminarían por confesarlo, que no había otra salida para semejante situación, porque todo tiene su aguante. Fue perdiendo interés la gente, cuando supo que aquel negocio no tenía vuelta de hoja. Hasta don Mariano callaba, se encogía de hombros, y ponía un gesto de cansancio y de asco. Desde entonces saludaba a don Pedro sin mirarle abiertamente, como repitiendo una rutina. «Buenos días nos dé Dios, señor Cura de Osmilla». Solamente se avivaban los ojos de Macías, cuando miraba a una buena hembra. Y, ahora, estaba muerto.

Fue el encuentro con el hombre borracho de la manta: el primo de Crisanto, lo que le trajo todas aquellas cosas a la memoria. Eran confusos recuerdos. La calle estaba como boca de lobo. Tenía que luchar consigo mismo y dominar sus nervios, para penetrar con la vista entre la oscuridad y no meterse en los barrizales. Quería mantenerse tranquilo, sujetar el temblor de su boca y los escalofríos, cuando hablara con don Eladio. Se sorprendió parado, sin saber dónde pisar, para no meterse de lleno en un charco grande que brillaba a todo lo largo de la calle. Tenía mojados los pies, y echaba de menos otro tiempo, le hubiera gustado que aquel paseo fuera sin ton ni son, sin ninguna preocupación, como los muchos que había dado hasta casa del Médico las noches de bochorno del verano. Se había escapado todo el tiempo, desde entonces, todos los años iguales, que Crisanto y Braulio habían pasado presos. No había diferencia de un paseo en el verano a otro, camino de la tertulia en casa del Médico. No tenía más cerca esos años repetidos, que su fresca memoria de chico o que sus recuerdos del Seminario, las tardes en que paseaban despacio, en fila, por las aburridas calles de su ciudad, y llegaban todos —la fila de pequeñas sotanas— a los bancos del parque pintados de verde, hasta donde el sol se filtraba entre las ramas de los árboles, y caía formando rodales de luz entre la arena del suelo, sucia y áspera, con trozos pisoteados y secos de cáscaras de naranja.

Volvió a buscarse la carta arrugada en el bolsillo; y a pensar en la vida perdida de aquellos hombres que llevaban tantos años en la cárcel, y tuvo pena de su propia vida.

Al principio habían estado juntos todos los vecinos presos, tranquilos, dentro de lo que cabía estar tranquilos. Ningún vecino había dicho nada claramente; pero Cándido y Pedro Romo le miraban de cuándo en cuándo, como si no pensaran más que en él. Se había echado Braulio a dormir en el suelo, a pierna suelta. Se había sacudido de encima las chinches, que caían a puñados desde el techo, sobre los cuerpos. Y hasta había dormido. Aunque escuchaba, a ratos, los paseos y el «alerta» de los centinelas; y, de madrugada, los carros que salían de Talmonte dando barquinazos chirriando las ruedas por las calles silenciosas. Había estado adormilado en el suelo, varios días, igual que cuando se tumbaba a la sombra de los álamos, a la fresca, o cuando siendo chico se sentaba a jugar a las tabas; o cuando también en el verano, se echaba en la pequeña sombra de una casilla o de un talud o de una cerca de cañas, después de comer, en el rato de descanso de la siega. Caía un golpe entero de calor, la solanera como fuego, como plomo fundido, y estaban allí acurrucados esperando la voz del capataz, sin otro hueco donde meter la cabeza.

Sólo sintió el frío del agua en la cabeza. Se relamió el agua por la cara, chorreándole. Levantó los ojos, y vio al guardia que venía con otro cubo lleno. Sintió caerle el agua por los ojos, y que le entraba —dulce— por la boca.

—Anda, mírale a tu amigo —dijo el Cabo—. Mira si prefieres estar así. Mira, lo que gustes. Se sabe bien que fuisteis los dos a la Casa del Alto... ¿Dónde metisteis el cuerpo del Pastor?

Braulio se acordaba de que Pedro Romo y Cándido y medio pueblo le habían echado a él la culpa del crimen. A decir del Cabo, así había sido. Lo que sí sabía de cierto era que, hacía sólo unas horas, Crisanto estaba encogido, sujetándose los calzones sin cinchar, porque le habían quitado la cuerda. Se cogía Crisanto los calzones con una mano, y con la otra le señalaba, al tiempo que le relucían los ojos y le llamaba criminal. Hasta había dicho que le vio arrastrar al muerto. Y lo dijo antes de que les tirara el dolor en los tobillos y antes de que tuvieran que removerse colgados, como dos costales.

—Yo no fui. Sería Crisanto solo.

El guardia le echó a Crisanto otro cubo de agua.

—Tengo sed —dijo Braulio.

—A ver... ¿adónde metisteis el cuerpo del Pastor? ¿Quieres que te cuelguen de los tobillos otra vez?

—¡Yo no! ¡Yo no! Ni tan siquiera me vi con él aquella noche —oyó la voz de Crisanto, y el tragín de las botas de los guardias alrededor.

—A ver... A ver..., ¿dónde...?

Se le clavó el dolor en la herida del tobillo. Le iba a doler más aún, y se le bajaría la sangre a la cabeza. Temblaba y tenía sed.

—¿Dónde?

—En las huertas enterrao —levantó la voz Braulio—. En las huertas enterrao está.

Le miró desde el suelo Crisanto, sin replicar. Les dieron de beber. Oían bromear afuera al Sargento. Cerró los ojos Braulio; y, pasado un rato, se dio cuenta de que estaba solo en la celda, echado sobre un montón de paja. Le dolían menos las heridas de los grilletes. Pensó que iba a descansar un par de días al menos. Miró al resol que debía de entrar a ras del suelo desde algún corral o patio. Lejanamente oía un guirigay de mujeres o de chiquillos, a lo mejor de las familias de los guardias. Iba a dormir. Tumbado, escondido entre los matojos esperaba el final de la charla y de las risillas de las mozuelas, mientras se llenaban los cántaros en el manantial. Brígida se quedaba rezagada, mirando a un lado y a otro, para que no la vieran. La cogía de las caderas, y se vencía encima de ella, que aguantaba de pie, doblada por la cintura, mientras tenía fuerzas. Siempre andaba como asustadiza, atemorizada, hablando de que iban a enterarse los amos, o de que alguien iba a contárselo al Cura. Había pasado Brígida una buena temporada así, antes de espabilarse. Pero era una moza hecha a los malos tiempos y a bregar con la vida. Oía Braulio las voces lejanas de las mujeres, y miraba el resol que entraba por el ventanuco, donde zumbaban, como escarbando el suelo, las avispas.

7

Al caer la tarde regresó a casa de sus amos. Era ya entre dos luces, y la puerta estaba cerrada. Llamó golpeando con los nudillos. Se quedó encogida en el quicio; los ojos bajos, sin decidirse a pasar. Doña Flor parecía que hubiese estado esperándola. Le relucían los ojos de rabia, y se concomía la boca. Vino y la pellizcó en el brazo. Pasó un rato clavándole las uñas en la carne, y diciéndole en voz baja que era una perdida y una mala pécora y que no la plantaba en el camino, de puro milagro. La emprendió a pellizcos y a empellones con ella.

Se aguantó Brígida, sin replicar. Ni siquiera despegó los labios, por no terminar de estropearle el humor al ama. Se puso a trabajar sordamente, en la cocina. La noche entera se la pasó sobresaltada, recordando medio en sueños lo que había visto y oído en Talmonte. Y el hambre no le dejaba pegar ojo.

A la mañana siguiente se levantó a la hora de siempre. Había amanecido medio nublo. Cedió mucho el calor. Se oían piar los vencejos que volaban cerca de la tierra. Tenía Brígida que preparar todas las mañanas el desayuno, para llevárselo a don Eladio a la cama. Doña Flor se había levantado ya. Andaba desgreñada, canturriando por el patio, con el peinador echado por encima de los hombros. Dejó el ama la lendrera sobre la mesa y se puso a regar tranquilamente los tiestos de geranios y de hierbaluisas.

—Si se te emperejila irte a Talmonte, no pisas más esta casa, ¿lo oyes?

Calló Brígida.

—¿Lo oyes?

—Sí, señora —murmuró, a la vez que preparaba la bandeja con el café negro, los picatostes y un vaso grande de agua fresca. Pasó al dormitorio, con la bandeja en la mano. Estaba el Médico en camiseta. Se le veían los escasos vellos rubios del pecho. Se había sentado en la cama, apoyando la espalda en la almohada.

—¿Te ha dicho el ama si hay algo urgente?

—No, señor. No han dejao ningún recao.

—Ayer creo que han soltao a la mujer de Crisanto, a la viuda alegre, ¿la vistes?

—Sí, señor.

—Anda que vaya pájaro de novio que fuiste a echarte... Si no fuera porque estás sirviendo en esta casa, buen paso ibas a haber llevao tú ahora, también... —dijo don Eladio, desperezándose, medio bromeando. Luego, la envió a recoger una caja de pastillas en casa de Capote, donde había un almacén que hacía las veces de botica.

Brígida estaba deseando salir, y fue a todo correr. Aprovechó para acercarse a ver a la madre de Braulio, aunque nunca había hablado bis a bis con ella. Le daba vergüenza; pero echó a correr, sin pensarlo más, hacia casa de la tía Casilda. Vio a una pareja de guardias que iban por la calle, acompañados por el Alcalde y otros tres paisanos. Llevaban los paisanos picos y palas, al hombro.

La tía Casilda estaba sentada a la puerta de la casa donde vivían sus parientes. Solía ir por allí la tía Casilda a aquella hora. Tenía la vieja a un crío de menos de un año, en el regazo, medio desnudo. Se notaba un viento caliente y húmedo, como si fuera a estallar tormenta; y la vieja miró fugazmente hacia el cielo. Mordía la mujer un trozo de pan. Después de mascarlo un rato, sacaba con sus dedos el pan de la boca, y se lo daba a comer al niño.

Se acercó Brígida. No se decidía a hablar. Una niña descalza, con una trenza rubia, traía un botijo grande en la mano. Se paró delante de la vieja.

—Tía Casilda, están cavando las huertas, para ver si encuentran a dónde enterraron al Pastor —dijo.

La vieja no pareció hacerle ningún aprecio. Dejó al pequeño abandonado en su regazo, y miró a Brígida.

—¿Tú eres la que festeja con mi Braulio?

—Sí, señora.

—¿La que has estao ayer en Talmonte?

—Sí, señora. Dicen que el Crisanto y el Braulio son los criminales. Una mujer me dijo que lo mejor es que fuera usté a ver a un buen abogao que vive en la calle de Ánimas.

—¿Y cuesta los dineros?

—Yo creo que sí costará algo.

—Están cavando las huertas, tía Casilda —insistió la niña. Se había quedado parada, sosteniendo el botijo en la mano, y mirando con ojos de asombro.

—Bueno, niña, vete a lo que tengas que hacer —se volvió—. Han soltao a la mujer de Crisanto, ¿verdad?... ¿Quién te ha dicho que les echan las culpas a mi hijo y al Crisanto?

—La gente lo cuenta, y la Juana mismamente. A ella la han soltao porque se le ha cortao la leche. Está seca.

La tía Casilda siguió mascando un rato el pan, como boba. Se lo ponía al niño en la boca. Pasó un rato sin decir palabra, respirando con ahogo.

—Mi hijo, vino tan tranquilo aquella noche. Estuvo conmigo. No lo permitirá Dios —dijo tartamudeando, esparciendo las migas desde la boca.

—Tiene usté que ir a contárselo a la autoridad. Tiene usté que ver a quien haga falta.

—No permitirá Dios que le pase ná a mi hijo de mi alma —se pasó un rato haciendo pucheros, torciendo a un lado y a otro la boca, enseñando las mellas, y sin que le saliera una lágrima. Estaba como tonta; y miraba sin ver, lejanamente, aguantando al chico en el regazo.

Brígida se marchó desalentada. Volvió la cabeza un par de veces, para mirar a la tía Casilda, que seguía como lela. Tampoco ella misma sabía qué hacer para ayudar a Braulio. Por más que le daba vueltas en el magín, no lo sabía. Tenía que ir al recado de su amo. Se acercó despacio a casa de Capote, para pedirle la medicina. Llevaba el papel, con el nombre escrito por el Médico. Deletreó sin enterarse de nada. Juntaba las letras, y hasta leía de corrido, pero no se enteró de nada. Lo que más le preocupaba en el mundo era ayudar a Braulio. Un par de veces se quedó parada, como dispuesta a volver sobre sus propios pasos, para de nuevo dirigirse a la madre de Braulio o a casa de la mujer de Crisanto o a la de alguna amistad del pueblo. No sabía a cuál parte ir, ni a quién recurrir en aquel momento. Sin darse cuenta se encontró en casa de Capote.

Atravesó el fresco portalón, pisando el suelo lleno de pajas. Estaba la mujer de Capote charlando con las criadas. Era una señora gorda, peinada con un moño enorme, claveteado de horquillas.

—Tú estarás bien empapada del negocio. Tú fuiste ayer a Talmonte, al olor de los calzones del Braulio, ¿no? —preguntó con sorna.

Brígida dijo que sí, con un movimiento de cabeza, sin pensarlo; aunque no sabía realmente nada, y se encontraba llena de confusión.

—Para esto de la medicina que tiene que sacar mi marido del armario, vuelve por aquí a la hora del almuerzo. Se ha ido a la huerta con el Alcalde y los civiles. ¡Podía llevarse tu amo todo lo que encarga! —se las daba de graciosa y campechana delante de las criadas.

—Ésta sabrá a qué ha ido, ama —dijo una de las mujeres, carirredonda y menudita, torciendo el gesto—. ¡Lo que le queda a una por ver con estos ojos, Virgen santísima!

Asintieron todas. Lo menos había cuatro mujeres, agachadas aquí y allá, en un patio grande. Cayó ahora Brígida en la cuenta: estaban desgranando habas. La mujer de Capote estaba de pie, y miró a Brígida de arriba abajo: las piernas derechas, los senos, y el talle ajustado por el vestidillo, que le caía ceñido casi hasta las rodillas. Brígida bajó los ojos, y se notó colorada de rabia, con un golpe de calor por el vientre y el pecho, hasta las orejas. Y sentía la mirada de la mujer pegada en el cuerpo, parada también en el vestido viejo y recosido. Les dio la espalda, sin replicar. Oyó que seguían hablando entre ellas, alocadamente, sin descanso, soltando madres mías a cada instante. Volvió a dudar sobre qué camino debía tomar; y, al fin, echó a correr hasta llegar a las afueras del pueblo. Se fue por aquel lado, para ver lo que hacían los hombres en las huertas. No quería tropezarse con nadie, ni que nadie le preguntara. Dio la vuelta por una calleja curva que formaban los tapiales de las fincas. Y se puso al lado de unos chiquillos que estaban sentados en uno de los pretiles, con los pies descalzos colgando en el vacío.

—¿Han encontrado algo?

—Qué va —dijo uno, pequeño.

El arroyo casi no traía agua. Parecía un carril lleno de piedras vertidas. Y los hombres habían comenzado a cavar las huertas próximas al cauce seco. Eran cinco hombres los que trabajaban. En un grupo estaban el Alcalde, Capote y tres guardias civiles apoyados en los mosquetones. Algunos chicos y mujeres se habían colocado formando fila más lejos, en una linde. El Alcalde tenía las manos a la espalda. Paseaba mirando al suelo, distraidamente.

—Tengo ya ganas de que encuentren al muerto —dijo el chico pequeño. Tenía el dedo índice metido en la boca, y no apartaba ni un momento los ojos de los hombres que cavaban.

—Yo digo que estará ya bien podrido —dijo otro.

—A lo mejor lo han enterrao en el monte —dijo otro.

—Una vez los gitanos desenterraron una vaca que se había muerto yo qué sé de cuál mal, y se la comieron y se murieron más de veinte gitanos. Mi padre lo sabe —dijo otro.

Estuvo Brígida un rato con las manos apoyadas en el tapial. Le llegaba a la altura del pecho, y sentía el calor de los adobes en el vientre y en las manos. Se inquietaban los chicos y sacudían los pies colgando. Uno cabezón se levantó, y se puso de pie sobre el pretil. Corría de un lado a otro, dándole a los adobes con un palo. Salpicaban los granos de arena.

—Yo me voy a la linde —dijo el chico, saltando al otro lado. Echó a correr.

Fueron saltando los otros chiquillos, uno a uno.

Vio Brígida cómo los guardias señalaban hacia otra parcela de tierra removida y gredosa, que se extendía un trecho más arriba, más cerca de los tapiales. Subían los campesinos por la pendiente, con las hazadas y los picos al hombro. Hacía mucho calor. El Alcalde, Capote y los guardias se arrimaron a la sombra de un talud. Desde donde estaba, Brígida vio a las mujeres y a los chiquillos que se acercaban siguiendo la linde. Venían de frente las mozas, anudándose los pañolones bajo el cuello, tapándose hasta la frente, para defenderse del sol.

—¡Eh, Brígida! ¿Qué haces ahí? —levantó una de las mujeres la mano.

—Esa sí que sabrá a lo mejor dónde está enterrao el Pepillo. ¡La muy hereje! —dijo una vieja señalando.

—¡Eh, tú, Brígida!

Se reían, y, alguna, hasta la amenazaba. Le dieron ganas de agacharse, de esconderse detrás del tapial y de seguir a gatas, sin que las otras supieran por dónde andaba. Pero les dió la espalda. Continuó por el campo a través bajo un sol de justicia. Todavía escuchó, a lo lejos, las chirigotas y las amenazas. Entró por una calleja en la que había un regato de agua, ahora medio estancada y sucia, donde revoloteaban moscas y avispas. Olor a cieno y a humedad. Estuvo un rato parada a la sombra, mirando al agua sucia. Había visto pasar dos mozos por el final de la calle, y esperó a que desaparecieran. No quería tropezarse con nadie. Llegó, también esta vez con miedo, a casa de los amos.

—He estao esperando a don Daniel, porque no había sacao todavía esa medicina. Me han dicho que vuelva al mediodía —dijo.

Doña Flor seguía a medio vestir, en el patio, sentada en una silla de mimbre. Tenía todavía el peinador sobre los hombros y se hacía aire con un pay-pay de cartón medio roto, manchado de grasa en el que se leía el anuncio de un chocolate.

—Qué ahogo de día. Ahora está nublándose, pero no para una de sudar.

—A ver si llueve. Este bochornazo va a traer tormenta —dijo don Eladio a voces, desde dentro de la casa.

Se pasaron hasta la hora de comer esperando la lluvia, y haciendo comentarios sobre el dichoso calor. Brígida subió a las cámaras, y buscó debajo del catre que le servía de cama. Sacó un taleguillo. Era donde guardaba sus cosas: unos zapatos de tacón a medio uso, unos encajes de bolillos, una peina, horquillas, dos moqueros y cuatro pesetas de plata envueltas dentro de un paquetillo vacío de tabaco hecho muchos dobleces. Lo colocó todo en orden, dentro del talego. Sintió que sobre las tejas empezaban a caer goterones, de tarde en tarde, sonando sobre su cabeza, por todo el vacío de la cámara aboardillada. No arrancaba a llover. Hasta allí llegaba el olor de la tierra. Terminó de anudar el talego. Pensó que debía irse a Talmonte, para estar cerca de Braulio, y que en la Cabeza de Partido no le sería difícil encontrar un sitio donde servir.

8

Ni se enteró tan siquiera la tía Casilda de que Brígida se había ido del pueblo, de que se había marchado a Talmonte. La vieja echaba de menos al hijo. Se entretenía más que de costumbre en casa de sus parientes; pero ni aún así se le apartaba de la imaginación la imagen del hijo. Aguardaba verlo aparecer en cualquier momento, con la cayada en la mano y la colilla en la boca, cansado. A veces se figuraba que volvía siendo niño, como cuando Braulio escapaba a robar uvas a las viñas, siempre con la camisa y los pantalones largos de pana llenos de desgarrones, rotos, y la boca manchada con el zumo de las uvas garnachas o de las moras. Cuando Braulio tenía sólo siete años, ella enviudó. Su marido se había marchado de leñador a los pinares, a un pueblo del norte de la provincia. Llegó la noticia al pueblo de que a su marido le había aplastado un árbol, de que estaba ya muerto y sepultado hacía muchos días. Tampoco pudo hacerse nunca a la idea de la muerte del padre de Braulio. También se pasó años y años esperándole en cualquier momento. Vivieron algunos años de las limosnas o de las cosas que le daban en pago por asistir en los partos a las mujeres del pueblo. Así habían pasado los tiempos hasta que Braulio fue mozo. Se había salvado el hijo de ir a servir al Rey.

Ahora, lo que más echaba de menos la tía Casilda era

la falta de obligaciones. No tenía que preparar la comida para su hijo. Ni se sentaban juntos a la mesa. Tenía escondidos algunos reales que le trajo Braulio de la siega, en julio. Guardaba en la alacena algunos pocos alimentos para el invierno. No tenía humor para volver a su casa a poner el puchero. Se pasaba hasta la tarde en casa de sus parientes, atendiendo a los chicos. Y, luego, le decía a la mozuela —a aquella chica de trenzas rubias, sobrina lejana— que se viniera.

—Te corto un canto de pan candeal y un cachejo de queso del que guardo en aceite, o un torrezno si lo prefieres —le decía.

La chica hacía un mohín, pero terminaba por aceptar. Iban juntas. Cruzaban el pueblo a oscuras, cuando los hombres volvían del trabajo. Volvían los hombres montados a horcajadas en los borriquillos, arreando a los animales por las calles estrechas. Pronto, la oscuridad emborronaba todos los rincones del pueblo. Se sentaban ellas a comer en la cocina, con la puerta abierta de par en par. La niña hablaba incansablemente, entre bocado y bocado, y a la tía Casilda le gustaba escucharla. Terminaban siempre hablando cosas de Braulio.

—Cuando venga mi Braulio, tiene que echarle una pieza al culo de la silla —decía—. O tiene que trenzar un poco de cáñamo para la soga del pozo.

Los días eran ya más cortos, y tenían que prender el candil de aceite o salirse a la puerta para seguir charlando, ya de noche. Era como si se entraran de cabeza en el campo, oyendo los grillos o el croar de algunas ranas por el lado de las huertas o el grito de las aves nocturnas. A veces, ni atendía a lo que decía la moza. Le daba la tía Casilda vueltas y más vueltas en la cabeza, imaginando lo que podría hacerse para ayudar a Braulio, para que él saliera de la cárcel.

Alargaba la tía Casilda las horas, por no quedarse sola, y porque sabía que aunque se acostara no iba o poder pegar ojo, sino que pasaría la noche en duermevela, despertándose sobresaltada y llena de ahogos, muchas veces.

—Me voy ya, tía —decía la mozuela.

Y la vieja se levantaba, acercándose a la alacena. «Espera. Espérate un rato. ¿Quieres un picatoste mojao en miel? ¿No será que te da miedo marcharte sola? De aquí a tu casa llegas en un decir, Jesús», le pinchaba para que la niña retrasara su marcha.

Aceptaba la chica las golosinas, y comía en silencio, con los carrillos llenos. Después, seguía hablando y hablando sin parar, como si no pensara nada de lo que decía. Sin embargo fue por la chica por quien se enteró de que había venido a Osmilla una hermana de la bordadora, que vivía en un caserío retirado a una legua escasa del pueblo. Se enteró de que esa mujer decía haber visto pasar, hacía un mes, a un pastor que se parecía mucho al Pepillo.

—¿Cómo sabes eso?

—Porque la hermana dijo que había sido, a lo mejor, una aparición del difunto.

—¿Estarán todavía levantaos en casa de la bordadora?

—Yo creo que sí, tía Casilda.

Se puso muy nerviosa. Se echó el mantón por los hombros y se anudó el pañolón negro. La niña la seguía, sin replicar. Hacía buena noche, con muchas estrellas y la hoz fina de la luna.

—Cuando tiene los cuernos para arriba es que mengua la luna, ¿verdad, tía?

—Calla —dijo la vieja, y no despegó los labios en todo el camino. Jadeaba, y se detuvo un instante para no perder el resuello, cuando llegaban ya a casa de la bordadora. Oyeron que estaban hablando a la puerta de la casa. Llegaron justamente en el momento que se retiraban a descansar. Habían estado las dos hermanas tomando el fresco, sentadas en el tranquillo, y ya se estiraban los sayales arrugados, cuando vieron venir a la tía Casilda con la niña.

—Tú eres la Carmen, ¿no? Tú eres Carmencilla la de la Cañada.

Se abrazó la tía Casilda a la mujer, gimoteando. Eran las dos casi de la misma edad. Estuvieron un rato cogiéndose las manos, dándose pequeños empujones con la punta de los dedos, y moviendo la cabeza, como si recordaran cosas muy antiguas de su juventud.

—Claro que me acuerdo de ti, Casilda.

—Ya sabéis a lo que vengo. Dicen que tú has visto el mes pasao a Pepillo el Pastor. Y ya te habrán contao lo de mi hijo de mi alma —rompió a llorar, despacio, secándose los ojos con los nudillos y sorbiéndose la nariz.

—¡Si vas a hacerle caso a ésta! —dijo la bordadora—. Yo digo que eso ha sio una aparición, si no es que se ha equivocao en la cuenta de los días.

—¿Qué?

—Eso, tía Casilda, que se habrá equivocao.

La de la Cañada tenía cara de infeliz y se volvió asustada hacia su hermana.

—No sé...

—Allá tú —dijo la bordadora—. Allá tú si quieres meterte en líos.

La mujer no sabía qué hacer, y la tía Casilda arrancó otra vez a llorar.

—Tienes que venir conmigo a decírselo al Juez de Talmonte, ¿eh, Carmencilla? Por el amor de Dios, tiés que venir.

Había un candil encendido, colgado de un alambre en la jamba de la puerta. Se asomó un hombre que llevaba desabrochada la blusa y el pelo cano, muy revuelto.

—¿Qué es lo que pasa aquí?

—¡Celestino! —dijo la tía Casilda—. Por la Virgen santísima. Diles tú que tienen que echarme una mano, pa sacar a mi pobre hijo. ¿Qué va a hacer una, madre mía? Díselo tú, Celestino.

—Vaya usté a hacerle caso, tía Casilda, con lo que ha visto o lo que ha dejao de ver. Ande usté a su casa a dormir, tía Casilda —se volvió como enfadado hacia donde ardía el candil.

Seguía lloriqueando la vieja y se mordía los nudillos de la mano. La niña sentía vergüenza, y se puso a mirar a la luna y a pensar que menguaba entonces. Cada vez se veían más estrellas. Le pareció que se corría una, hasta perderse por el monte, donde sólo llegaban los pastores con los rebaños.

—Me va a regañar mi madre por volver tan tarde, tía —dijo.

Se habían acercado las dos mujeres viejas. Lloraban abrazadas. La chica le tiraba del chal a la tía Casilda. No les veía las caras. El hombre había retirado el candil de la jamba de la puerta. Sólo se veían los bultos, los cuerpos de las dos viejas gimiendo. Y se oía el croar lejano de las ranas por donde a lo mejor estaba enterrado el Pastor, por donde habían estado cavando las huertas. Otra estrella se corrió por el cielo, como una bicha.

—Acompáñeme, tía Casilda. Me va a regañar mi madre por haberme retrasao tanto.

Se detuvo para orientarse, porque debido a su distracción, se había pasado de calle. Iba hacia las huertas, entre el barrizal, tiritando de frío. De quien más se acordaba, a pesar de solamente haberlo tratado de Pascuas a Ramos, era de don Mariano Macías. Y pensó que había muerto sin darse cuenta siquiera de su culpa, de sus pecados, creyéndose bien seguro, digno de estar en el Cielo como un alma de Dios. Ahora debería estar pagándolo. Le daba rabia pensarlo así, despiadadamente, pero no encontraba otra justicia. Estaba todo tan oscuro, que sólo veía el

brillo de las huellas de los carros en el barrizal. Sentía el roce del tapial contra su ropa. Recordaba a don Mariano del brazo del Párroco de la Trinidad de Talmonte. Los años todos se le mezclaban en la memoria; sin embargo, quería acordarse de algo relacionado con el juicio de Crisanto y de Braulio, algo que le diera alguna luz para vivir un rato de tranquilidad. No había ido por entonces don Mariano a Osmilla. Al Juez sí lo recordaba de aquellos días, de cuando estuvieron cavando las huertas el verano del crimen. Retrocedió, pisando en el suelo blando, y dejó atrás la calle enfangada que llegaba a las huertas. También había andado este camino con el Juez. Había visto, durante diez o doce días, salir a los hombres que iban a cavar las huertas para buscar el cadáver del Pastor.

Fue un día, cuando ya había terminado de rezar todas las misas. Oyó las campanillas nerviosas de una tartana que se paraba debajo de la ventana de la Sacristía. Sabía que era el Juez de Talmonte el que venía con don Blas, y les esperó en el rellano de la escalera. Había acompañado el monaguillo a los visitantes. Vio que se quedaba abajo el chico, metiéndose los dedos en la nariz, y mirando asombrado a los zapatos y a los pantalones planchados del Juez. Era el Juez un hombre muy joven, enfermizo. Se le notaba a la legua que no se había criado en el campo. Gastaba chaleco, a pesar del calor, y llevaba puños almidonados, sucios por los bordes. Se agachó el Juez para besarle la mano.

—Ya le habrá contado el señor Alcalde que tenía que hablar con usted —dijo recalcando las palabras y con tono cortés.

Se sintió primero como azarado delante de la persona refinada que era el Juez, pero luego sonrió socarronamente.

—Sí, algo sabía.

—Ya verá cómo con don Pedro no tenemos quebrantaderos de cabeza, ni es persona que le ponga trabas a la

Justicia —sonrió el Alcalde—. Si quiere usted le llevamos a dar una vuelta en la tartanilla. El señor Juez quería mostrarle a usté unas cosas, ¿eh, don Pedro?

Llegaron en un decir amén, y conducía el caballo un criado del Juez, que había venido también desde Talmonte. Hacía el hombre visera con la mano, mirando a la gente que cavaba en las huertas.

Seguía una cuadrilla de hombres cavando el terreno. Era tierra blanda. Hincaban los picos y las azadas con prisa, como si les urgieran las miradas de los curiosos. Nadie hablaba. De vez en cuando volvían la vista los campesinos, aunque no interrumpían su trabajo. Los guardias se cuadraron cuando vieron llegar al Juez, al Alcalde y a él mismo.

—A sus órdenes.

—¿Nada?

—Nada, señor Juez.

—Esto ya pasa de castaño oscuro —dijo el Alcalde—. Yo creo que han señalado mal el sitio, que no lo han enterrado por este lao —movió la cabeza—. «Chispa más, chispa menos» nos señaló el Crisanto cuando lo trajeron los civiles, y ya va toda la zona de huertas cavada.

—Yo quería hablarle a usted sobre ese particular, señor Cura —dijo el Juez poniendo voz melosa—. Los acusados no hacen más que declaraciones contradictorias. Se echan el uno las culpas al otro y no está descartado que enterraron a la víctima en el cementerio. Lo cierto es que nos gustaría contar con su autorización, puesto que se trata de un terreno sagrado y de la Parroquia.

No recordaría exactamente lo que contestó. Posiblemente no contestara nada y se limitara a sonreír. Lo cierto era que, por entonces, la vida de Osmilla no se le hacía —de seguro— tan cuesta arriba. Le hacía gracia el Juez, tan remilgado, y mirándose los puños almidonados y sucios. Puede que se limitara a sonreír con socarronería, torciendo la vista hacia don Blas.

—Ya le decía yo a usted que don Pedro... —dijo el Alcalde.

La gente empezaba a cansarse porque no aparecía el muerto. Un campesino había dejado el pico clavado en la tierra, y puso los brazos en jarras.

—¿Vamos a arrasar también este lao?

—¿Qué? —se volvió nervioso el Juez, y vio que habían dejado todos el trabajo—. Sí, sí, que continúen —se tiraba de la manga de la chaqueta, para taparse la mugre del puño—. Todos tenemos que poner nuestro empeño en que se haga justicia. Ayer hablaba precisamente de eso don Mariano Macías, y el mismo párroco de la Trinidad, hablaban de que si no fuera por la ley no habría forma de ponerle coto al salvajismo.

La palabra salvajismo era de las que más le gustaban a don Mariano Macías. Eso sí lo recordaba. Se había extendido la palabra por todo el pueblo y por toda la provincia. Recordó el Cura que hasta habían puesto hacía poco un letrero delante, en la fachada principal de la iglesia de Osmilla. «Los que en su ignorancia o salvajismo... serán sancionados con una multa...». No podía reírse con el frío. Pero cuando aquella mañana tuvo la conversación con el Juez y el Alcalde, regresaron andando hacia la umbría, donde había quedado esperando la tartana. La vida de Osmilla no se le hacía, desde luego, cuesta arriba.

—A ver cuándo se decide a comprar un trozo de terreno por esa parte —le decía el Alcalde.

Era buena la tierra sólo por aquel lado, y hasta el secano cuando venía un buen año de lluvias invernales, como estas de ahora. Hasta puede que debiera haber comprado tierras en abundancia, como hizo el Párroco de la Trinidad. Todo era entonces pasajero, y no pensaba irse de Osmilla nunca. Salía de cacería con el Médico y con Capote o el Alcalde. Hablaban de la bondad de los perros perdigueros que criaba Capote, de la veda y de la recolección o de la vendimia y de la graduación del mosto. La gente había olvidado poco a poco la historia del crimen. Sólo le venía algún recuerdo, casi remordimiento, cuando se ponía detrás de la reja del confesonario la tía Casilda; los largos años que vivió la tía Casilda. La sentía jadear detrás de las rejillas, toda la cara y el aliento pegado a las rejillas. Un olor avinagrado, como a ropa vieja, endrajosa y sudada. Y sentía los fuertes golpes que se daba la tía Casilda en el pecho. «Por mi culpa. Por mi culpa. Por mi grandísima culpa». Lo decía la mujer, en el mismo confesonario que Braulio era inocente, y que Dios lo sabía bien seguro. Decía la mujer que habían condenado a su hijo porque le tenían inquina. Decía que el Juez y los Macías habían condenado a su hijo por política, y que todos eran culpables a los ojos de Dios. «No tienes que confesarte de eso. ¿Cómo sabes lo que piensa Dios?» «Mejor que usté lo sé», dijo la tía Casilda. Siempre la oía bisbisear detrás de la rejilla del confesonario y arrastrar las alpargatas en andrajos, sin suelas, por el piso frío de la iglesia. Desde el confesonario la veía con los brazos en cruz delante del altar del Cristo, y luego veía que la mujer tocaba con las manos los ex votos, casi todos de cera, colgados formando ristras en la pared: las pequeñas manos, brazos, senos, piernas, corazones, cabezas, animales, muletas, cabellos, niños-muñecos de cera. Oía chisporrotear las velas que se ahogaban. Esto sí lo recordaba, aún ahora. Toda su culpa parecía arrancar del crimen de Osmilla. Estaba deseando llegar a la casa del Médico, y de que luego fueran a verse con el entonces Juez de Talmonte, que aún vivía. Recordó que terminaron por cavar también el mismo cementerio. Pero el cementerio caía por la otra parte, por el alto. En saliendo al campo se distinguían los cuatro cipreses y la tapia roja rodeando una pequeña parcela. Pero el Camposanto no se veía desde la casa de don Eladio. Llegó el Cura, muerto de frío, y se pegó a la puerta, para resguardarse de la lluvia. Se puso a llamar a golpes con los puños cerrados.

Las dos viejas llegaron envueltas en los pañolones negros, a pesar de que hacía calor. Caía el sol, a plomo, por las calles de Talmonte. Apenas se tropezaron con nadie. Las calles les parecían anchas y solitarias, comparadas con las de Osmilla. Miraban los aperos de labranza, cuerdas y serones de cáñamo o esparto, colgados en la puerta de los comercios.

Llegaron ante un gran edificio enjalbegado, con balcones corridos de hierro. Había un oscuro portalón, empedrado con adoquines redondos y escurridizos. Era allí, pero no sabían qué hacer. Entraron con miedo, y Carmen le tiró del brazo a la tía Casilda, interrogándola con los ojos. Dieron unos pasos, cogidas de la mano. No salía nadie. La tía Casilda tosió varias veces, y se aflojó el nudo del pañuelo negro. Estaban asustadas, sin decidirse a seguir adelante, mirando por todo alrededor.

—No hay nadie, Casilda. No hay nadie.

Siguieron un rato temerosas dentro del portal. Había un patio, al fondo, con un árbol de grueso y negro tronco, plantado en el centro. Oyeron cantar a una mujer. Dieron unos pasos, casi corriendo, cogidas de la mano. La tía Casilda volvió a toser.

—¿Qué quieren? —se había asomado a la puerta del patio una moza, con la falda remangada hasta media pierna. Iba descalza, y llevaba a rastras una azada.

—Mire, somos de Osmilla. Teníamos que ver al señor Juez.

Observó a las dos viejas, como si no las entendiera, como si fuera sorda o sonámbula.

—¿Don Carlos el Juez? —preguntó, al fin.

—Sí, creo que es ese señor.

—Esta no es su casa. No viene casi nunca aquí.

Carmencilla volvió a tirarle de la manga a Casilda. Se

oían pasos en el patio, por donde caía la sombra del árbol. La moza también se volvió para mirar.

—Padre, estas mujeres —las señaló con la mano.

Era un hombre con bigote enorme y mal cuidado, con la cara sin afeitar. Andaba también descalzo, y traía una azada como si viniera de arreglar algo en el patio o jardín.

—Yo soy la madre de uno de Osmilla que está preso. Esta mujer tenía que hacer una declaración. Queremos hablarle al señor Juez de Instrucción, pa que saque a mi hijo —dijo la tía Casilda, casi sin tomar aliento.

—Vuelvan cuando esté el Secretario —dijo el hombre, torciendo el gesto.

—¿Cuándo es hora?

—Mañana. Acérquense alrededor de las once, a ver si ha venido.

—Es que aquí, la paisana, tiene que irse esta misma tarde. Nos lleva a Osmilla el de la leche, en el carro —dijo, y no le quitaba los ojos de encima al hombre, como implorando, haciéndole ver que se trataba de algo muy importante. Carmencilla miraba, mientras tanto, asustada, hacia lo hondo del patio, detrás de la sombra enorme del árbol.

—Ustedes sabrán... —se volvió hacia adentro, y se detuvo otro instante, de perfil—. El Secretario vive en la calle del Molino, en la casa que tiene un zócalo de piedra.

Salieron, y la moza se acercó hasta la puerta de la calle por verlas marchar. La tía Casilda iba como ciega, bajo el sol, sin hablar con la paisana, y arrastrándola a caminar más deprisa. Jadeaban las dos viejas. Brillaba el sol en un cielo que no parecía poder oscurecerse nunca, sino quemar al mundo eternamente. Sentía Carmencilla el calor impecable del sol. Hubieron de preguntarle a un chico. Llegaron a la puerta de una casa, que estaba cerrada. Casi no llegaba la tía Casilda al aldabón, y se empinó para llamar.

Tardaron mucho rato en abrirles.

Entreabrió la puerta una mujer. Sólo asomó las narices a la calle. Vieron por la rendija un espacio lleno de sombras, que resultaba fresco y confortable.

—Queríamos ver al señor Secretario. Servidora es la madre de uno de Osmilla que está preso, y esta paisana tiene que hacer una confesión pa que saquen a mi hijo —repitió la tía Casilda, ahogándose.

—Esperen afuera —les cerró la puerta. Se quedaron a pleno sol, un rato largo. Carmencilla se cruzó a la otra acera, donde había sombra.

—Vente aquí, Casilda. Te va a dar algo.

Levantaban los ojos hacia las ventanas, y estaban atentas por si abrían la puerta de nuevo. Se apoyaron en la pared. Estaban cansadas. La tía Casilda respiraba con desazón. Se sentaron, luego, en unos mojones que había a los lados de una puerta de carros. La casa donde vivía el Juez, era como una especie de fonda, por la cantidad de balcones que tenía. A veces, les parecía a las mujeres que alguien miraba desde detrás de las persianas caídas. Diríase que se movían las persianas de madera. Le dio Carmencilla a Casilda, con el codo.

—Cuánto tardan.

—No sé si volver a llamar —dijo la tía Casilda, tocándose la espalda, que le dolía.

—Espera a ver.

Se movían las persianas, y se sentían las mujeres cohibidas, como cogidas en falta en medio de la calle. «Hay alguien. Te aseguro, Casilda, que hay alguien mirando.» Se hablaban al oído, y hasta la tía Casilda se sentía con miedo. «No es nada malo lo que hacemos» —murmuró, dándose ánimos. Por la calle pasaba, de tarde en tarde, un hombre; algunos con alforjas y con los blusones desabrochados, sudorosos. Se alargaban más las sombras. Hasta soplaba un poco de aire caliente, que secaba la respiración. Salió un joven flaco vestido con chaqueta y otro que llevaba gorra de alguacil.

—¿Son ustedes las que han venido antes? —preguntó el de paisano.

Casilda se acercó encogida, sin mirarles a los ojos. Detrás iba Carmencilla, como ocultándose detrás de la otra.

—¿Qué quieren? ¿No les ha dicho la criada que era la hora de la siesta?

—No, señor. Soy la madre de uno que está preso. Vengo con esta paisana, porque queríamos hacerle una declaración al Juez.

—¿Pero les citó alguien? Ya terminaron los testigos —dijo el de paisano. Miró al otro, y se encogió de hombros.

—Hemos venido porque esta vecina vio al Pastor, al que dicen que está muerto.

Apenas se habían detenido los dos hombres. El de paisano, volvió a mirar al otro, haciendo un gesto de cansancio. Y resopló, luego.

—Bueno... —abrió los brazos y las manos—. Está ya terminado el sumario y no se toman declaraciones. Ya está así hasta que se vea el juicio. Lo mejor es que se vuelvan a su pueblo y esperen.

La tía Casilda comenzó a hacer mohines, y a arrugar la boca, como si fuera a llorar.

—Una no sabe de leyes —dijo—. Pero mi paisana tenía que decírselo al Juez.

Le salpicaba la saliva al hablar deprisa. El hombre de paisano se limpió la cara, con asco. Carmencilla se agarró del brazo de la tía Casilda, y tiraba de ella.

—¿Es que no entienden? —dijo el alguacil, acercándose—. ¿Quieren armar escándalo sin ton ni son?

—Lo mejor es que se vuelvan ustedes al pueblo —dijo el de paisano—. Eso es lo que les conviene hacer. Ya no van a arreglar nada.

Se quedaron paradas en medio de la calle, viendo, con los ojos asustados, como se alejaban los dos hombres. Una mujer que iba con un niño en brazos se quedó mirando, y otra se asomó a un balcón de antepecho. Carmencilla tiró de la mano de la tía Casilda.

—Anda, vamos. Lo que tenga que ser, estará de Dios que pase. Y no va a permitir la Virgen Santísima. Anda, vamos —le tiraba sin parar de la mano.

—Sí, Carmencilla —rompió a llorar, sin taparse la cara. Iba sorbiéndose sin parar la nariz.

Tiraron por una calle larga, que terminaba en unas corralizas. Toda ella estaba en sombra, y hacía menos calor. Se notaba más animación. Correteaban chiquillos astrosos, descalzos, con varas en las manos. Había un corro de niñas, sentadas a la puerta de un edificio que parecía convento. Pasó un borriquillo cargado con dos pellejos de vino. Donde terminaba la calle, en las corralizas, había parados varios carros de mulas. El más pequeño era el que iba todas las tardes a Osmilla con las cántaras vacías. Solía cruzarse con otro que venía del pueblo. Caía la corraliza en un alto. Se veía buena parte del pueblo desde allí: las costanillas y los tejados de las casas. También se veía, casi entera, la torre de la iglesia de la Santísima Trinidad. En el momento en que llegaban las dos mujeres viejas, las campanas se pusieron a tocar, deprisa, desesperadamente. No se oían más que las campanas, tapando los grillos de los chicos y las voces de la gente.

—Si pudiéramos nos acercaríamos a rezar el Rosario en la novena de la Virgen. Teníamos tiempo de coger luego el carro —gritó Carmen, al oído de la tía Casilda—. Podíamos rezarlo pa que saliera pronto tu hijo de la cárcel.

Desde el alcor veían voltear las formas oscuras de las campanas, en la torre. Daba alegría verlas.

9

No quisiera que tuviese que ver conmigo esta historia, aunque realmente se pierde en el origen de mi vida. Ni siquiera que aquellos a quienes hablo fueran mis padres. El ruido de los huesos sobre la caja de la camioneta me hacía perder el hilo de lo verdadero, de lo terrible y simple. Prefería que los huesos sobre la caja me parecieran raíces desenterradas o cortezas de árbol. Pero sé como todo lo simple —el hambre y el miedo al menos— se come a lo que ocurre por dentro de las personas; y se mete en el alma envenenándola, escupiendo en el rostro de las cosas para contagiarle su miseria. Noto de qué forma —luego— hay que ver todo simple, de nuevo, para curarse del mal.

Estaban desenterrando los muertos de la exhumación. Yo me encontraba allí por encargo de don Pedro (mi tío como le llamo). Las cosas como son; aunque yo prefería recordar el cementerio lleno de gente endomingada y con ramos de flores el día de los Santos; de gente que hormigueaba alrededor de las tumbas cerradas, en torno al recuerdo de la gloria de los hombres vivos.

Mas mi madre —yo lo sé— es también como estas paisanas que parloteaban a mi alrededor, empinadas cerca de los pudrideros. No me es difícil imaginar cómo era ella —Brígida— de joven. Por más que yo haya tenido otras oportunidades y sepa leer y escribir, no creo ser muy diferente. El miedo y el hambre de entonces se llevan poco con las de después.

Brígida estaba en Talmonte y sabía cuál era el camino de Albacete o el de Cuenca. Poco más sabía. De chica, yo misma, al poco de terminar la guerra, veía llegar a los coches de línea, como si vinieran de otro mundo.

La posta llegaba levantando una polvareda. Los caballos se ponían al paso, y ya entrando en Talmonte, les alcanzaba una tropa de chicos, de ciegos y mendigos, que gritaban sin parar y se pegaban a las ruedas. Cuando entraba la posta por la calle principal, gritaba todo el mundo. Los vecinos se asomaban a la puerta de sus casas. Brígida sabía que por allí, camino adelante, se iba a Albacete. Y, al otro lado, al pie de la tapia del Convento de las Trinitarias, y del pequeño asilo con el rótulo a la puerta: «Asilo de mujeres incurables», seguía el camino de Cuenca. También por aquel lado —no sabía bien por dónde— podía irse a la Corte. Lo mejor sin duda, para irse a la Corte, sería llegar hasta la estación del tren, aunque caía lejos de Talmonte. O coger un carro de mulas, que se pasaría días y noches a campo través, entre los sembrados y las viñas.

Pero tenía que esperar a Braulio. Se le habían roto las alpargatas de esparto, y andaba descalza. Pasaba el día entre los otros chicos o acarreando cántaros de agua, por un céntimo, desde la Fuente de la Salud hasta los caserones donde vivía la gente principal. En las horas de la siesta, que eran las de más calor, las calles se quedaban vacías. Brígida se sentaba en la calleja en sombra que había a la parte trasera del cuartelillo; mientras Braulio estuvo allí, antes de que lo trasladaran a la cárcel de Partido. Por la noche, como era verano, dormía en alguna era. Pasaba mucho rato despierta, muerta de miedo, escuchando el rumor del campo de noche. Los ladridos de los perros, a veces eran tan lejanos que le parecían llegar desde otros pueblos; aunque sabía que los pueblos estaban unos muy lejos de otros, llegando hasta el mar, y hasta donde los hombres tenían otra habla porque los había castigado Dios. Tenía envidia de la gente que se iba lejos, de las personas que se habían marchado a América. Envidiaba a la gente que contaba con capital. Lo peor del mundo era el hambre, peor aún, mil veces, que el miedo. Tenía que esperar a Braulio. Además, por algo ya no era moza, y él había sido el culpable de que no lo fuese. Tenía que esperar a que saliera, y ayudarle en lo poco que podía mientras estuviese preso, aunque sólo alcanzase a mandar a Braulio algún que otro paquete de tabaco de picadura. Así él se acordaría más y la tendría presente. Habían pronto de soltar a Braulio. Sabía que él no había matado al Pastor. Y que no era capaz de matar a un hombre como no fuera en una pelea y estando borracho.

Ni mientras estuvo Braulio en el cuartelillo, ni, cuando lo trasladaron a la Cárcel de Partido, le permitieron verle. Pero los paquetes sí se los pasaban al preso. Habían ido soltando a todos los paisanos de Osmilla, y sólo Braulio y Crisanto quedaban en la cárcel. Brígida se pasaba muchas horas pegada al caserón de la cárcel, y escuchaba lo que decían las mujeres que llegaban de los pueblos de alrededor: gitanas arrastrando una tropa de hijos, y campesinas con pañuelos negros, arrugadas de vergüenza, cuyos hombres estaban presos sólo por robar aceitunas o leña o por cazar furtivamente en los cotos. Braulio y Crisanto eran los presos más importantes, y por eso todas las mujeres hablaban con Brígida.

—Dicen que tu novio y el otro ya se han declarao culpables —dijo un día una mujer.

—¿Quién lo dice?

—¿Por qué sino sólo quedan esos dos presos de todos los que trajeron de Osmilla?

—Tendrán que preguntarles más que a los otros.

Algunas mujeres habían tomado más confianza con Brígida, y hasta se permitían darle consejos.

—Yo de ti volvería al pueblo y le pediría perdón al ama. Tu novio se va a tirar mucho tiempo preso, si es que no le dan garrote.

—No me iré.

—Tú verás lo que te haces. La gente habla mal de ti, y no te va a quedar ningún mozo ni viudo, como no sea que vaya por lo malo.

—A mí no me importa ningún mozo.

—Allá tú.

No quería ceder en nada. Después de enterarse que Braulio se había declarado culpable, estuvo dando vueltas por el pueblo hasta la noche. Iba de un lado para otro como loca. Al oscurecer, muchos hombres formaban corrillos a la puerta de las tabernas, o apoyaban la espalda en los muros del Ayuntamiento. Y se estaban un rato viendo pasar a la gente, a las mozas con las cántaras y a los últimos borriquillos que regresaban de la campiña. Tenía Brígida la falda rota por el bajo, y se le veía un trozo de pierna. Creía que Braulio no había matado al Pastor. Le daba rabia saber que Braulio había cedido, aunque fuera porque le pegaran los civiles. Llegó al camino de las eras, muerta de rabia. En el cielo se corrían estrellas como ascuas, lejos. Por el otro lado brillaba la luna casi llena, bermeja. Vio un grillo en el camino, entre la tierra, y lo aplastó rabiosamente con el pie descalzo. Le costó un rato dominar su rabia.

Vio las sombras de dos mozos que andaban detrás. Les oyó hablar y se agachó a coger cantos del suelo. Le relucían los ojos. Se quedó parada, esperándoles. También se pararon los hombres, a pocos pasos, al acecho. Tiró Brígida una piedra, que rodó con fuerza. La sintieron pasar, y se apartaron blasfemando.

—¡Zorra! ¡Si me descalabras te mato, zorra!

Pasó un largo rato callada. Les oía hablar por lo bajo, como los mozuelos que juntaban los dineros para ir a la feria y se hacían confesiones, medio avergonzados. No tenía miedo, y siguió callada otro rato.

—¡Eh, tú! No te enfades —dijo uno.

—Vamos, mujer —dieron unos pasos, temerosos.

Volvió a tirar otra piedra, que rozó a uno de los mozos. Volvieron a blasfemar y a separarse los dos. Se agachó Brígida, para coger más cantos. Buscaba a tientas, entre la tierra, entre el polvo como harina. Se puso otra vez derecha, y apretó los cantos en las manos. Hablaban entre ellos los mozos.

—¿Cuánto quieres? Ya voy solo.

Brígida —seguida de lejos— llegó a un altozano. Vio las luces del pueblo reluciendo y haciendo guiños. Por la senda se oía cantar a unos aguadores y el paso de las caballerías. Corrió Brígida un trecho, y los mozos detrás, uno muy alejado del otro, sin salir del camino.

—No te vayas. ¿Cuántos dineros quieres?

Cerca de los pozos de agua a los que iban y venían los aguadores se paró Brígida, para descansar, agotada, jadeando. Vio a uno de los mozos que venía cansinamente, medio avergonzado, con las manos en los bolsillos; y al otro unos pasos detrás. Se encontraban, de nuevo, a las afueras de Talmonte, asomando a un caserío. Y los mozos se acercaron para tratar con ella. Se fueron hacia un espacio llano, a la vista del camino. Parecían dos tipos medio señoritos. El primero era garrido, alto, de manos grandes y sudorosas. No hablaba palabra, y se abrazó a ella jadeando, mientras el otro soltaba palabrotas y bromas desde lejos. Miró Brígida el dinero. Tenía que juntar dinero. Y comió cuanto quiso, y se compró unas zapatillas nuevas.

Desde aquella noche cuando necesitaba dinero se dejaba acompañar a la era por un hombre, si se terciaba. Andaba muy repeinada —con un moño alto—, limpia y lustrosa por Talmonte. Hasta se había quitado el pañolón que llevaban las mujeres a la cabeza. Iba sin mirar, derecha, con los ojos altos, pero como ciega y sin fijarse en nadie. No quería hacer amistad con nadie, y ni siquiera respondía al saludo de la gente. Le llevó a Braulio unos paquetes de tabaco el día que lo trasladaban a Cuenca.

El día del traslado de Crisanto y Braulio a Cuenca, había mucha gente a la puerta de la Prisión de Partido. Paisanos con blusones y pantalón de pana, mujeres y chicos, rodeaban a un coche de caballos, cerrado, con una sola ventanilla alta y enrejada. Se hizo paso Brígida entre la gente. A codazos y empujones llegó a la primera fila de curiosos. En aquel momento sacaban a los presos, con las esposas puestas y rodeados de guardias civiles. Se hizo un murmullo entre la gente, cuando Brígida se acercó a los guardianes. Le mostró al Cabo los paquetes de tabaco, uno en cada mano.

—Venga, dáselo.

Se llegó hasta Braulio, y le metió los paquetes en los bolsillos del pantalón. Casi se abrazó al hombre por las caderas, para meterle un paquete en cada bolsillo. Braulio estaba como avergonzado, y se mordió los labios. Se miraron apenas un instante. La gente se hizo a un lado, porque los guardias empujaban con las culatas de los fusiles. Brígida quedó de las primeras, corriendo unos pasos detrás del coche celular. Cerró los puños cuando lo vio arrancar.

Detrás del coche iban dos parejas de guardias a caballo, y otra pareja delante, abriendo paso por las calles estrechas. La gente se metía en los portales de las casas. Reculaban los chicos y las mujeres, para que no los pisaran las caballerías.

—Ni Dios, les va a salvar a esos del garrote —decían algunos curiosos.

Brígida se concomía de rabia. Pensaba que tenía que irse a Cuenca, para estar allí cuando fuera el juicio. Y que tendría que verse con algún abogado. Le dolía la cabeza si se pasaba mucho rato pensándolo. Creía que, al fin, no le ocurriría nada a Braulio. No quería ceder. Más de un mes se pasó en Talmonte, sin decidirse por nada, dejándose acompañar por los hombres. Les llevaba a casa de una vieja encogida y seca como un guijo, que vivía en una casucha de las afueras. Alguna vez —los domingos— hasta había hombres esperando, a la puerta; mozos que merodeaban y daban vueltas rondando incansablemente alrededor de la casucha. La vieja iba y venía hasta un saco de salvado mojado, iba y venía hablando con las gallinas. Cerca de la casa había también un lagar, y todavía quedaban restos del orujo del otoño anterior. La tierra estaba caliente de todo el verano, reseca, llena de grietas, y los caminos polvorientos.

Salía Brígida a la puerta, cegada por el sol de la tarde. Se ponía en cuclillas, en la parte donde daba la sombra. Miraba al campo desierto. Tenía ganas de estar contenta, pero no podía. A veces, se olvidaba del asunto de Braulio, del crimen, durante un rato. Y se quedaba distraída, mirando a las hileras de hormigas. De pronto le volvía la rabia, y se le agriaba el estómago. Le venían ácidos a la boca, escupía y cerraba los puños. Se preguntaba por qué no iba a poder ella hablar con la gente, para que todo el mundo se diera cuenta al mismo tiempo de que Braulio era inocente del crimen. Ya había oído decir que pronto iban a juzgar a los de Osmilla en la Audiencia de Cuenca. No entendía qué podían sacar los ricos con matar también al Braulio y al Crisanto. Tenía Braulio que salir libre. Y ella debía esperarle cuando terminara el juicio. No quería Brígida que su novio volviera al pueblo, por nada de esta vida. Se irían juntos a otra tierra. Así nadie le diría a Braulio que ella había andado con otros hombres por Talmonte; ni la gente empezaría a malmeter, que todo el mundo tiene mala sangre, y para eso se pintaban solas las vecinas. Se encontraba abandonada, y, algunas tardes empezaba a rezar cuando oía las campanas.

Le daba rabia que costaran dinero las misas. Se quedaba en cuclillas en el suelo, hasta la oscurecida. Tenía que tener dinero para irse con Braulio muy lejos, donde nadie les amargara la hiel.

También solía Brígida ir a ver la posta que marchaba a Cuenca una vez por semana. Salía el coche de la puerta de la posada. Siempre iba a despedirle una tropa de chicos, y los mozos subían las maletas al techo, y las ataban con sogas, mientras los caballos coceaban inquietos, sonando los cascos y las herraduras en el suelo.

—¿Tarda mucho en llegar a Cuenca?

—A la atardecida. Hay cinco leguas más que a Albacete.

Sabía Brígida que habría de atravesar pueblos y campiñas, campiñas siempre iguales a las que ella había recorrido de niña, después que murieron sus padres. Lo que más cambiaba eran las gentes. El mundo estaba lleno de gentes distintas, que no conocía, de caras de personas, cada una a lo suyo, con su genio y su pensar. No había forma de saber uno lo que pensaban los demás, ni si eran buenos o malos. Arrancaba la posta, y pifaban los caballos. Pero había gente que no viajaba nunca. Sólo voceaban cuando veían pasar el coche, casi como cuando veían llegar un auto. Alguna vez, había llegado un automóvil, y el pueblo entero se despoblaba por ir a verlo. Las campanas de la Trinidad sonaban todas las tardes, sin parar, sin olvidarse de tocar un solo día.

Hasta que no había estado preso no había caído en la cuenta de lo mucho que tocaban las campanas. Antes le pasaban inadvertidas, ni se enteraba de que sonaban. Estaba todavía en Talmonte, en la Cárcel de Partido. Tenía los grilletes puestos, abrazándole las cicatrices de los tobillos. Se incorporó Braulio. Apenas entraba luz en la celda. Llevaba mucho tiempo aletargado, sin abrir los ojos.

Pero había oído el ruido del cerrojo y el golpe que daba la puerta al abrirse.

—Hay un señor que quiere verte. Es el abogao que va a hablar en favor de vosotros en el juicio.

El carcelero se había quedado a la puerta, mirando hacia afuera. Se incorporó Braulio en el banco. Le dolía todo el cuerpo. Tenía la cara y los labios hinchados de los golpes, aunque no le dolían mucho. Lo que tenía ganas era de hablar con alguien, de salir de allí. Miró a la persona que entraba a la celda. Era un hombre alto y flaco, con ojos hundidos en la cara.

—Yo soy el abogado. El que tiene que defenderles, que hablar en su favor en el juicio, ¿entiende?

—Sí, sí, señor —movió la cabeza y abrió más los ojos.

—A mí puede contármelo todo. Lo bueno y lo malo, ¿entiende? He hablado con el señor Juez y he visto las declaraciones que han hecho ustedes.

Intentó ponerse en pie. Le dolían ahora los riñones y el vientre, hasta cuando quería respirar hondo o más si tosía o carraspeaba. Hizo un esfuerzo para aguantarse la tos, y se llevó las manos —no tenía esposas— al vientre. Por fin optó por sentarse derecho en el banco de piedra, y se corrió un poco, por si quería sentarse el otro. El abogado seguía de pie. Braulio le miraba sin pestañear. Luego, bajó los ojos y se miró las uñas con la sangre negra y el dedo pulgar reventado por la yema. Se le iba un poco la cabeza, de estar tanto tiempo tumbado y sin abrir los ojos.

—¿Entiende a lo que vengo? Ya he hablado con el otro encartado en el asunto de Osmilla, con Crisanto.

—Sí, sí, señor, que lo entiendo.

Era un señorito con la cara delgada y pálida, muy bien rasurada. Le parecía muy alto, con las manos pequeñas como las de una mujer. Y se dio cuenta de que llevaba un paquete, seguro con papeles o libros, debajo del brazo.

Tenía los pantalones planchados y los zapatos relucientes como si fueran de charol.

—Siento que hayan declarado lo que hicieron con el muerto. Eso de que dieron a comer el cadáver a los cerdos —dijo—. Ya se lo he dicho al otro encartado.

—Yo declaré eso, para que no me pegaran más —dijo Braulio.

Se calló el abogado. Se puso a mirarse la punta de los zapatos, y asintió con la cabeza varias veces.

—De cualquier manera —dijo en voz baja—. Todo tiene arreglo, y solamente quiero que digan las cosas como yo se las indique. Es mejor, aunque a mí deben decirme la verdad, ¿entiende?

Apoyó otra vez Braulio sus muñecas en el vientre, para no toser fuerte.

—¿Me oye?, ¿entiende?

—Sí. Diré lo que tenga que decir. Lo que sea bueno que diga para salir de aquí.

Miraba temblón al abogado, mientras se sujetaba la tos. Por fin, volvió a tranquilizarse. El abogado se había sacado la petaca del bolsillo, pero había vuelto a guardársela sin darse cuenta. Luego, la había sacado junto con un librillo de papel.

—¿Quiere echar un cigarro?

—Bueno, probaré a hacerlo —sonrió Braulio. Se miró las manos, y vio la cara del abogado muy cerca. Tenía un pequeño mareo, que se le enroscaba como la cáscara de un caracol, alrededor de la cabeza. Estaba seguro de que se mareaba porque llevaba mucho tiempo allí, tumbado, no porque le doliera el cuerpo. Las cosas se emborronaban en sus ojos, igual que cuando le tuvieron colgado por los pies. Se puso a hacer el cigarrillo casi con los ojos cerrados. De pronto le dio miedo de quedarse otra vez solo en la celda. Tenía miedo a quedarse allí tumbado, sin saber si era de día o de noche, sin poder pisar el campo, ni mirar nunca de cara a la luz del sol. Se le crispaba todo el cuerpo.

—Yo no quiero pudrirme aquí. Haga lo que sea. Yo no maté al Pastor. ¡Yo no le maté! —se incorporó, con los ojos muy abiertos, asustados.

La luz de la cerilla era redonda y grande. Tenía el abogado la cerilla encendida en la mano. Se le veían las arrugas de la cara, y las manos finas como las de una mujer. Torció la boca el abogado, y se hizo atrás, al tiempo que chupaba. Se apagó de golpe la cerilla.

—Si empezamos así... A mí no tiene por qué engañarme.

—Yo no quiero pudrirme en la cárcel —tartamudeó. Mientras hablaba, vio al abogado alejándose del banco. Se avivaba la lumbre del cigarrillo. Echó el abogado una bocanada de humo.

—Ya he hablado con el otro encartado. Puede usted hacer lo que quiera...

Le daba miedo quedarse otra vez solo en la celda, otro montón de días y de noches, sin saber qué hora era, únicamente atendiendo al repicar de las campanas de la iglesia de la Trinidad, o a la voz de algún hombre que vendía arrope o queso. La puerta estaba entornada, y vio la sombra del carcelero, asomándose. Con la puerta entornada hasta llegaba más claro el rumor de las calles de Talmonte. Tendría Braulio que quedarse allí; y el señorito se iría por las calles, al aire libre, quizás hacia la puerta del Casino de los ricos, donde se apoyaba a tomar el sol aquel limpiabotas cartagenero.

Tenía el ceño arrugado el señorito, y movía de un lado a otro la cabeza, con el pitillo encendido en los labios, entornando los ojos para apartarse del humo que le lamía la cara. Puede que hubiera vuelto a asomarse, y, luego, a apartarse de nuevo el carcelero. Estaba la sombra a la puerta, en la grieta de luz que venía de afuera. Braulio había tenido a medio liar el cigarro, pero se le había vertido el tabaco. Quiso apoyar las manos llenas en el banco. Se miró las uñas: la sangre negra. Puede que se fuera el señor abogado, en seguida, sin decir osto ni mosto. Y él no podría sujetarle. Y al rato volverían a entrar los guardias o el Juez. Aquel guardia gordo, de manos callosas. Sabía Dios.

—No le maté, pero sea lo que usté diga —susurró.

Se había encogido de hombros el abogado. Se acercó de nuevo, contento, hacia el banco; si bien dejando un gesto de cansancio en su cara.

—¿Entiende? Yo lo que quiero es que se quite de líos y de más preguntas, que no me niegue a mí lo que le ha declarado ya al señor Juez. Yo sé la forma de que no les den a ninguno de ustedes garrote.

—Buenó, diré lo que quiera. Lo que sea mejor —jadeó—. Lo que sea mejor para no pudrirme aquí.

—Vaya... —sonrió abiertamente.

Le veía borroso otra vez, como cuando le habían colgado por los tobillos y se le clavaban las cuerdas. Pero veía sonreír al abogado, mientras registraba entre los papeles.

—¿Entiende? Debía de ser un tipo de pocos amigos el Pastor, ¿no?... Yo he hablado con el tal Crisanto, y parece de acuerdo en lo que le voy a decir.

—Sí —dijo Braulio.

—Escuche, yo sé lo que deben hacer si quieren salvarse del garrote... Tiene usted que declarar que el Pastor se entendía con la mujer de Crisanto, y que a usted también le gustaba la mujer de Crisanto. Ella era un poco puta, ¿no?... También tiene que declarar que fue usted con el cuento al marido, y que por eso entre usted y Crisanto golpearon y mataron al susodicho Pastor. Tiene que quedar claro que no hubo dinero, ni robo de por medio, ¿comprende?

Le veía dar vueltas, andar la celda con pasitos cortos. Llegaban ruidos de la calle: voces apagadas, confundidas, gritos, rumores, como cuando en medio del campo, trae el viento voces de gentes, desde muy lejos.

Llegó a juntar treinta reales, y estaba decidida a marcharse a Cuenca. Le había ofrecido llevarla un arriero que iba a salir conduciendo un carro cargado de sacas de harina. Se ahogaba Brígida de inquietud. Quedaron de madrugada, a la salida de Talmonte. Nacía un día claro, todavía con estrellas por Poniente, con el canto de los gallos, como un desgarrón, y el ruido chirriante de las ruedas, y el paso en fila de las tres mulas brillantes, negras, fuertes como toros, que tiraban del carro.

—Sube, barbiana —se rió el hombre. Tenía una dentadura blanca y entera.

Tomó asiento Brígida sobre las sacas blancas, bajo la sombra del toldo del carro. Estaba contenta y le revivían todas las ansias que había sentido en su vida. Arreó el hombre a las bestias, y le pegó fuerte a la zaguera en las ancas, con la vara. Se mezclaba la polvareda del camino entre la luz de la amanecida. Iba Brígida acostada sobre las sacas de harina, mirando al campo. De vez en vez, volvía la cabeza el arriero, y le echaba una ojeada y una risa. Cuando el paso de las mulas cogió aire, en el llano, el arriero se volvía más a menudo. Se reía y le daba pellizcos en las piernas.

—Barbiana, cuando hagamos noche en Belmonte, dirás que eres mi mujer. Aunque parezcas un poco moza, se tragarán la mentira, barbiana.

Surgía el sol en una mañana fresca y de aire limpio. Miraba al campo llano, que había tomado ya el color del otoño. Había cerrillos que le parecían montones de ceniza. Todavía tenían las hojas enteras los tres o cuatro olmos que bordeaban el camino, aunque amarilleaban. Seguían en rastrojo los campos de siembra, a la espera de las primeras lluvias. Pero ya estaban a punto de irse las cigüeñas y los vencejos. Se barruntaba el otoño. Le revivían a Brígida sus ansias, con el ajetreo del carro y con el aire que le cortaba la cara. Sentía contento porque se iba de Talmonte, de Osmilla, atravesando el campo y los pueblos grandes que no conocía, igual que había deseado siempre. Pensaba que cuando Braulio saliera, lo mejor sería ir de un lado a otro, igual que hacían los feriantes, sin tener casa fija, ni ojos que te conocieran desde que estabas en pañales, ni lenguas que pudieran dedicarse a la murmuración a sabiendas de si tus padres eran así o asá o de si habías pasado hambre y vergüenza, o si eran gentes de acomodo.

—¿Vas contenta, barbiana?... ¿A que nunca habías levantao el vuelo de esos puñeteros pueblos?

—Sí que voy contenta.

—No hay cosa mejor que el campo —decía el arriero—, aunque también se harta uno de los caminos, siempre de un lao para otro, corre que te corre.

Llegaron a Belmonte ya entre dos luces. Era un pueblo blanco y grande, por el estilo que Talmonte, lleno de polvo y de moscas. La posada estaba a las afueras. Tenía un portalón grande por el que entraban mulas y carros en un corral empedrado con adoquines redondos. A la derecha estaba la cuadra oscura, enorme, con largos pesebres de yeso adosados a las paredes, todo alrededor. Las mulas y borricos movían inquietamente las ancas; y mordían a tirones la paja. Resoplaban, metiendo la cabeza en el pesebre que tenían enfrente o en el que no les correspondía si es que estaba más lleno o tenía alfalfa verde. Se notaba el olor fuerte de los animales apretados en la cuadra. Echaba para atrás el olor. El arriero entró diciéndoles palabras entre cariñosas e insultantes a las mulas, hablándoles como si fueran personas. Brígida le ayudó a llevar los sacos de paja.

Había un pajar, cerca de la cuadra, donde, tirados todo lo largos que eran, podían dormir los muleros. Pero el arriero encargó a la posadera que les preparara una buena cama con colchón de lana. Brígida miraba de soslayo, con vergüenza, a los gañanes y a los mozos que iban de un lado a otro, por el corral y los pasillos. Se llamaban los hombres a voces. Se oían los gritos arreando a las bestias, que llegaban cansadas, muertas de hambre y de sed.

—Barbiana, vente a dar una vuelta por el pueblo. Me esperas a la puerta de la taberna, mientras me echo un vaso de vino al coleto.

Asintió. Estaba deseosa de ver el pueblo de noche.

—Y llenaremos una bota, pa que te puedas tú también echar un trago. No está bien visto que las mujeres entren con los hombres a la taberna.

Anduvieron hasta llegar al centro del pueblo. El arriero era un tipo alto, cargado de espaldas, que caminaba a saltos y a carrerillas, como si todavía fuera siguiendo al carro y arreando a las mulas. En la calle principal había dos o tres tabernas, con las puertas abiertas de par en par. Tenían cortinas de colgajos, hechas con palitos de balaste. Los hombres se notaba que eran arrieros o tratantes en su mayoría. Vestían blusones grises, y llevaban varas o garrotes en la mano. Entraban y salían. Se limpiaban la boca manchada de vino, con la mano. Algunos hombres cantaban y daban voces, llamándose de lejos. Pero por las calles laterales, ya oscuras, el poblachón parecía desierto o muerto.

Brígida quedó esperando a la puerta de una taberna. El arriero tardaba en salir. Y la muchacha se apartó unos pasos, por no tropezarse y aguantar las chanzas de los mozos que salían y entraban. Uno le tocó las piernas, al pasar. Brígida se quedó por eso un trecho más allá de la puerta. Miraba a las revueltas oscuras de las esquinas, a las casas sin luz, extrañas, de un pueblo que no había visto nunca. Brillaban los vidrios de las ventanas oscuras. Estaba allí Brígida, sola. Nadie la conocía, ni sabía de dónde, ni por qué había venido hasta Belmonte. Respiraba ahogadamente. Algo le raspaba en el pecho, como a un perro después de una carrera. Sentía desazón. A ratos le daba miedo. No salía el arriero, y Brígida no quitaba ojo a la puerta de la taberna. Temía que el hombre fuera a salir borracho, y que la emprendiera con ella. Le daba miedo de los hombres, cuando bebían demasiado, cuando parecían no tener miedo de nada, igual que le pasaba a Braulio, o como le pasaba a su padre. Casi no se acordaba. Braulio, ni borracho sería capaz de haber matado a otro hombre, aunque quizá sí. Lo que no sería Braulio capaz, de seguro, es de haber matado al Pepillo, y de haber hecho luego con el cuerpo muerto, lo que la gente decía que habían hecho. Tenía sed y cansancio, y el tiempo se le hacía largo. Se había puesto a rezar y a decir maldiciones por lo bajo, mientras esperaba al arriero.

Le vio salir. Echó a andar detrás de él, como un perro. No se cruzaron la palabra durante un largo rato. Llevaba el arriero la bota en la mano, y andaba a grandes zancadas, despreocupadamente. Al fin se volvió a ver si la moza le seguía. Se detuvo un momento a esperarla. Le echó, luego, la bota por el aire.

—Toma un trago, barbiana.

La cogió ella al vuelo. Se puso a beber, apretando el pellejo húmedo de la bota. Unos hombres que pasaban por la calle se pararon a mirar. Se empujaban, se daban codazos entre ellos y hacían comentarios.

—Vaya tiento —dijo uno.

Brígida sentía áspero el vino en la lengua, llenándole toda la boca, empapándole el paladar y la lengua reseca. Respiró hondo, y sonrió, después de echar el trago.

—Sí, menudo tiento —dijo el arriero, medio cazurro. Y volvió a coger la bota. Se la colgó al hombro, por el cordel. Echó a andar delante de Brígida.

Atravesaban el pueblo, siguiendo calles oscuras, desiertas. Brígida le seguía a ciegas, sin conocer bien el camino de la posada. En un muro vio una hornacina con una Virgen. Tenía una lamparilla encendida.

—Venga, ¡hala! No te quedes tan rezagada.

Se pegó al paso del hombre, medio asustada. El arriero le echó la mano por la espalda.

10

Sabía que era Brígida quien tenía que abrirle la puerta. De seguro que ella se agacharía para besarle la mano. Brígida le besaba siempre la mano, hasta cuando iba con algún mandado a la Sacristía, o los días que subía hasta las habitaciones con el desayuno. Apenas le recordaba a la muchacha que había conocido hacía más de quince años, ni a otra Brígida, la que regresó encogida a la puerta de la casa del Médico, y se quedó allí horas y horas, parada, con los ojos sin pestañear, muda, y, luego, tumbada, hecha un ovillo en el quicio durante toda la noche.

Pero las cosas no ocurren así porque sí, aunque la cuerda siempre se rompa por el lado más flojo. Seguro que habría andado Brígida muchas leguas por los caminos, y había dudado durante muchos días, antes de decidirse a volver a casa de sus amos. Aún se le notaría alguna señal de vida y de rebeldía. Aunque vida y rebeldía no eran la misma cosa; o puede que sí lo fueran para las personas como Brígida, o como Braulio, o como Crisanto y todos los pobres campesinos. Brígida —se sabía por el hijo de Capote el que estaba viviendo en Cuenca— había andado también en malos pasos en la capital de la provincia. El chico de Capote hablaba con aire de haber descubierto toda la verdad. «Se entregaba a los mozos por los dineros», había dicho. Pero esto, sabía el Cura, que no era bastante para juzgar.

«¿Te vienes?», le había preguntado el hijo de Capote a Brígida.

Brígida le había mirado de arriba abajo.

«Los del pueblo tenéis la culpa de que esté el Braulio donde está, y de que yo me vea así», le había contestado.

Esto sí se había sabido. Había ocurrido la historia unas semanas antes de que tuviera lugar el juicio por el crimen de Osmilla, aunque, por algo parecido a un acuerdo, nadie había querido darle al hecho la menor importancia. Luego, después del juicio, todo debía de haber cambiado lo bastante para que Brígida volviera a casa de sus amos.

Sabía que era Brígida quien, ahora, había de abrirle la puerta. Tenía frío, ganas de llegar también a casa del Médico. Toda la noche estaba poblada de una especie de remordimiento o de las imaginaciones sobre la vida de Brígida.

Iba Brígida corriendo por la calle de la Carretería, hacia la parte alta, luego hacia la parte baja. Todo el mundo la miraba. Hasta se asomaban las mujeres a los balcones. Por fin la vieron subir la cuesta. Había terminado el juicio contra los criminales de Osmilla. Empezó el juicio cuando llegaron los guardias a caballo, con el Cabo, con el Sargento. Y terminaba ahora el juicio. Pero no había ni un alma viva que se preocupara de Brígida. Para eso estaba Dios Nuestro Señor. Se removió, temblando, el puente de madera que cruzaba sobre la hoz del río cuando pasó Brígida corriendo. Había empezado la historia cuando el Cabo, el Sargento —porque las órdenes, los usos, el servicio tenían que ser así— empezaron a interrogar a los vecinos de Osmilla. Brígida cruzó el río, y se escondió en la vertiente llena de piedras negras. Se arrojó en el suelo, donde nadie podría encontrarla.

«Menuda que armó en la Audiencia, cuando condenaron al novio», dijeron los paisanos que habían estado presentes.

Ella no se haría a la idea. Veinte años. Veinte siembras.

Veinte Pascuas. Veinte inviernos. Veinte veces que se irían los quintos.

«Y eso que no les dieron garrote».

«Tenía preparao hasta el ajuar, para cuando soltaran al Braulio».

—¿De modo que ahora vuelves mendigando un mendrugo de pan? ¿De modo que ahora vuelves después que has estado hecha una perdida, y quieres que te den abrigo en casa decente? —le había soltado doña Flor, y cerró la puerta. Brígida quedó acostada en el quicio, esperando a que le abrieran, acobardada, pero sin verter una lágrima.

Por todo el pueblo lo repetía la gente: «¿Sabéis que ha vuelto la Brígida, la criada de casa del Médico, la que estaba novia con el Braulio?» «Está hecha un ovillo, acostada a la puerta, esperando a que la recoja doña Flor», añadían.

—Pobrecilla.

—Se creía que todo iban a ser rosas y flores.

La noticia había sido lo más importante que ocurría en el pueblo, después de la desaparición del Pastor. Era como una continuación de toda la historia del crimen, como algo imprevisto. Fueron a ver a Brígida los vecinos. Las mujeres y las mozuelas vinieron corriendo desde sus casas, se acercaron a ver a Brígida, como muerta, en el quicio de la casa de sus amos. Todo el mundo se enteró, menos la tía Casilda. A la vieja nadie se atrevía a decirle nada, después de la condena de su hijo y de Crisanto.

—¿De modo que ahora vuelves mendigando un mal mendrugo de pan? —se oía gritar dentro a doña Flor.

Las mujeres contaban lo que habían oído decir, lo que aseguraban saber de boca de los que estuvieron en Talmonte o de los que declararon como testigos en el juicio de Braulio y de Crisanto. Decían que Brígida andaba por las calles de Cuenca, con su vestido y sus zapatos de tacón, bien peinada y sin pañuelo a la cabeza. Iba así, sola, al oscurecer. Subía la calle de la Carretería, y entraba seguida por cualquier hombre en una casa de mala fama. También la habían visto a la puerta de la cárcel, llevando un capacho lleno de pan, de fruta y de confituras.

Fue el hijo de Capote el que dijo haberse tropezado con Brígida. Aseguraba el hombre que la primera vez, ella ni tan siquiera le saludó, ni reparó en él.

—Hasta que no olía bien olido el dinero... —decía.

Iba Brígida con la frente alta, sorteando la mirada de los hombres que aguardaban, a la puerta de las tabernas y de la barbería, para verla pasar. Al caer la tarde, se ponían allí los hombres. Los viejos apoyados en las garrotas de madera amarilla, con las gorras caladas hasta los ojos; y los jóvenes con las manos metidas en el bolsillo del pantalón de pana. Siempre la veían a la caída de la tarde, a la hora en que ya un ramalazo de frío azotaba las calles de la ciudad. Se notaba soplar el aire contra las casas colgadas, y enfilar por las hoces de los dos ríos, que, como tajos profundos, cortaban a Cuenca.

—¿Quién es?

—Es la novia de uno de los criminales de Osmilla. También la moza debe de ser de cuidao.

—Ya se le notaba en Osmilla que iba a ser de armas tomar —decía el hijo de Capote—. Era muy cría cuando murieron sus padres, y cuando no se enderezan, a las mujeres les pasa como a los árboles torcidos...

—Desde luego, que es así.

De cualquier manera también se sabía que el hijo de Capote había querido que se fuera con él una noche. Eran las únicas referencias que tenía la gente. Poco más sabían los labradores que fueron al juicio.

—Menuda creo armó en la Audiencia el día que condenaron al Braulio y al Crisanto —recordaban las mujeres, cuando la vieron tirada a la puerta de la casa de sus amos.

—Mírala, ahí, ahora, esperando a que la recojan.

—Se pensaría que todo iba a ser rosas y flores.

Los chicos y las mujeres se habían acercado a verla,

en grupos. Estuvo llegando gente a la puerta de la casa del Médico hasta que se hizo de noche. Los que llegaban se paraban un rato en silencio. Si acaso hacían un comentario en voz baja. Hasta volvían a la puerta del Médico, por segunda vez. Se cruzaban con los que regresaban ya.

—¿Sigue ahí?

—Sí que sigue.

—¿Le abrirán por fin sus amos?

Y gritaba, dentro, doña Flor:

—¿Ahora vuelves mendigando un mendrugo de pan? ¿Ahora quieres que te den abrigo en una casa decente? ¿Ahora?

Miraban los vecinos, y nadie se decidía a decirle nada, ni siquiera una palabra de consuelo. No se decidían, hasta ver si querían recogerla los amos. Pasó, allí, acurrucada, toda la noche. No pudo dormirse del frío. Y, al fin, por la mañana, abrió la puerta doña Flor. Luego se confesó doña Flor. Se confesó y se pasó muchos meses, años enteros, contando a todo el mundo lo que había sufrido con Brígida.

—Entonces venía pero que bien suave, como si en su vida hubiera roto un plato. Pero buena cruz que tuvo una con la moza de aquellos días.

Le dijo doña Flor que tenía Brígida que confesárselo todo al Cura. Estaba vacía la iglesia, en silencio, con el chisporroteo de las velas. La iglesia con aquel entrañable olor a polvo, asomando a la pila bautismal fría y vieja, desgastada como el brocal de un pozo, donde había sido cristianada la misma Brígida. Hablaba la moza, casi en alta voz. A través de las celosías del confesonario había visto él, un breve instante, los ojos orgullosos y sin vencer, que no parecían avergonzados de nada. Había notado cómo bajaba la vista Brígida. Jadeaba, detrás, dentro del confesonario y estuvo tentado a preguntarle algún detalle más. Notaba el olor de siempre, todavía como si quedase un vestigio del humo del incienso.

Él sabía que era Brígida, ahora, quien tenía que abrirle la puerta, y quien le besaría la mano. Siempre lo hacía, sin tocarle apenas con las manos de ella: pequeñas, callosas y redondas. Aunque no era por Brígida por quien más le preocupaba el asunto de la carta. Brígida había cambiado mucho desde que se escapó de casa de sus amos, desde que estuvo ganándose la vida como Dios le dio a entender por Cuenca y por Talmonte. Había cambiado mucho desde la rabia que se desató en ella el día que supo el resultado del juicio de Braulio.

Braulio y Crisanto se cogieron de la mano. Miraban hacia la sala, hacia lo alto, sin ver nada, con los ojos inofensivos y casi amargos. Notaban el uno el calor y la dureza de la mano del otro. Desde hacía unas semanas se llevaban bien. Estaban plantados, de pie, en la sala, solos, a pesar de que hubiera tantísima gente. Crisanto se había dado cuenta, uno y otro día, de que no iba al juicio su mujer. Braulio sentía únicamente los apretones de la mano del paisano. Las palabras de la justicia las habían oído como si sonaran arriba. El ruido de los pasos y el murmullo de la gente se escuchaban terriblemente pegados al suelo. La Sala de la Audiencia estaba llena de gente. Sobre todo había campesinos vestidos de pana, llegados de los pueblos de alrededor. Don Mariano Macías estaba en el primer banco.

—Por lo menos no se escapan los criminales sin castigo —comentó con el paisano que tenía al lado.

—Hasta garrote que tenían que darles...

Se oyó un grito. Braulio conoció que era Brígida la que gritaba. Toda la gente se había puesto en pie. Las mujeres colocándose de prisa sobre los hombros sus mantones negros. Sacaban a la moza entre dos guardias. Iba un guardia tirándole de cada brazo. Y se apartaba la gente del pasillo. Parecía una loca, con el moño deshecho y echando espumarajos de saliva por la boca.

—¡Canallas! ¡No ha sido él! ¡No ha sido él el criminal!

La llevaron hasta la calle. Había un grupo inmóvil de paisanos a la puerta de la Audiencia. Se empinaron los de las últimas filas, para ver mejor por encima de las cabezas de los que tenían delante. Sacaron los guardias a Brígida hasta la misma puerta. Ya desfilaba la gente que salía; y la aglomeración se hizo mayor. Todo el grupo se desplazaba, arrastrando los pasos, detrás de la moza, calle arriba.

Se abrió paso Brígida entre rostros y ojos asombrados. Miró a lo lejos, llorando. Veía las casas borrosas. Hacía sol. Era un sol frío de otoño, casi invierno. Siguió calle arriba. Oía detrás el murmullo de la gente y el arrastrarse de los pasos. Le vinieron otra vez las ganas de gritar. Y se volvió enseñando los puños. Gritó ya ronca y sordamente, hinchándosele los tendones y los nervios del cuello.

—Parece una posesa, una de esas a las que les dan ataques cuando las toma el Demonio, y se les vuelven las manos y echan espumarajos por la boca —comentó una mujer.

Iba a todo correr. Restregó el puño contra la pared de piedras, y le saltó la sangre llenándole el dorso de la mano. No sentía apenas el dolor. Corrió. Sólo unos chiquillos la siguieron un trecho. Terminaron por dejarla. La ciudad estaba desierta por aquel lado. Era un laberinto de intrincadas costanillas, de calles que serpenteaban por la colina arriba. Detrás de una piña de caseríos, se asomaba la ciudad sobre la hoz profunda del río Huécar. Quedaba Cuenca colgada sobre las cortadas y tajos del riachuelo. Cruzaba un largo puente de tablas, que comenzó a temblar. Había echado a correr Brígida, y se detuvo a mitad del precipicio. Se estuvo allí un rato, mirando a lo hondo, chupándose la sangre que le brotaba de las heridas de los nudillos. Se veía, abajo, la alameda con las hojas amarillas,

las huertas y el hilo de agua del río. Contra el puente soplaba el viento. El aire le levantaba las faldas, pero no hizo ningún caso. Cruzó al otro lado del puente, y se salió un buen trecho del camino. Subió por una vertiente llena de piedras negras, de rocas con formas redondas y gastadas, como si hubieran pasado siglos debajo de un río enorme, que llenara todo el ancho tajo; un río más ancho y grande que ninguno de los ríos que ella no había visto nunca. Se tiró al suelo, entre las rocas, temblando. Tumbada —no sabía cuántas horas— pensaba que ella no tenía un alma viva de quien poder decir: «Este es de los míos», «ellos son los míos», «yo soy de Tal», ni tenía un hombre junto al que poder dormir abrazada en una cama grande o en un simple montón de paja; un mozo del que poder decir: «Este es mi hombre», «yo gozo a gusto con él», «nuestros hijos nos ayudarán cuando seamos grandes», «ya se harán hombres, para cuidar de nuestra vejez». No tenía nada suyo, ni un hombre como Braulio, ni siquiera un trozo de tierra como un celemín, donde caerse muerta.

Cuando ya iba a oscurecer, se levantó. Cruzó de nuevo, entre dos luces, el puente de tablas, que temblaba con los pasos y con el aire.

Sabía que era Brígida quien había de abrirle la puerta. Pero no era lo que pensara Brígida lo que le traía con cuidado; porque muchas cosas tenían que haberse deshecho dentro de Brígida en tantos años, o incluso hasta en los pocos días que mediaron entre el juicio de Braulio y Crisanto, y la noche que pasó tumbada en el suelo, al raso, hecha un ovillo a la puerta de doña Flor. No era Brígida quien más le preocupaba. Había pasado —por otra parte— el tiempo suficiente para que una mujer se olvidara de un hombre con el que no tenía trato marital, máxime no habiendo hijos ni nada de por medio que los atara.

También Juana, la mujer de Crisanto, era bien distinta.

Desde que la soltaron con el chico de pecho, se había preocupado poco de Crisanto. Contó la Juana a todo el mundo lo que le había pasado, y que se le había retirado la leche de los pechos. Algunas vecinas prepararon un biberón de leche de cabra para el chico y a Juana un plato de patatas cocidas. Comieron Juana y su hijo a los ojos de todas las vecinas que habían ido a verla. Cuando Juana dejó el plato limpio como la patena —contaban—, arropó al chico a su vera, y se tendió a dormir en el mismo suelo, dejando asombradas a todas las curiosas. Se durmió en seguida; y decía, entre sueños: «Ay, Crisanto. Ay, Crisanto». Rieron todas las vecinas, porque sabían lo ardiente que era la Juana. Pasó un año y otro, y —a decir de las malas lenguas—, siempre encontraba algún apaño con mozo o viudo. El cuerpo le pedía hombre, pero la Juana siempre juraba esperar a Crisanto. «Él es mi marido de mi alma», decía. Procuraba guardar las apariencias, e iba, todos los domingos, a misa, con su hijo ya crecido. El padre y la madre de Juana les ayudaban dándoles de comer. Y el chico iba haciéndose alto y flexible como un varal. Ya trabajaba a jornal, cuando había labor en el campo propia para un muchacho. El último año, incluso había aprendido a arar, y trabajó de sol a sol. Su madre le esperaba hasta el oscurecer. «A ver si este hombre no se te tuerce, Juana», decían las mujeres. Y ella afirmaba: «Ya gana un jornal para su pobre madre, hombre ya es».

Oyó don Pedro los pasos de Brígida, detrás de la puerta, y el ruido del cerrojo.

—Ah, ¿es usté, don Pedro? —se agachó contenta a besarle la mano.

—¿Qué? ¿Están todavía levantados don Eladio y el ama?

Brígida miraba hacia el pasillo. Vieron que salía don Eladio, sin darles tiempo a hablar nada más.

—Contre, don Pedro. Llega usted tarde para la chocolatada. ¡Si se descuida me coge en la cama! —sonreía, y miraba las trazas del Cura: despeinado, con los mechones de pelo cano sobre la frente, y el abrigo abierto, asomando la lana sucia de la pelliza que hacía de forro. Tenía el Cura, por demás, los ojos enrojecidos, como hinchados de sueño—. Contre, don Pedro, ¿es que pasa algo?

—Sí —dijo, resopló, se metió la mano en el bolsillo del pantalón, y buscaba ansiosamente la carta—. Quiero que hablemos a solas.

Entraron en el comedor, aunque se quedaron de pie, junto a la mesa grande. El Médico se caló las gafas. Puso la carta encima de la mesa, y leía a la luz del quinqué.

Mientras don Eladio leía, el Cura se desabrochó del todo el abrigo y se pasó la mano por la frente. Se sentía algo más tranquilo, descansado de un peso que había llevado él solo durante tantas horas. Miraba a lo alto; y por el cristal del montante veía el techo del pasillo oscuro. Toda la casa estaba en silencio. Seguro que se había acostado ya doña Flor, que estaría ya en la cama, acurrucada, encogidos los pies entre las sábanas. Aunque antes le habría calentado la cama Brígida con un ladrillo o con un canto caliente.

—¿José Huete? —demostró cierta sorpresa el Médico, al leer el final de la carta.

—¿El Pastor? —se miraron un largo rato.

—Sí, el Pastor.

—Sí.

—¡Leñe!... Y la carta está escrita ahí en Serrijón —se puso a pasear de un lado a otro, con pasos cortos, torciendo la boca—. Leñe.

El Médico se paró, de pronto, y se volvió para mirarlo; pero él le huyó los ojos. Encajó los dedos con los de la otra mano. Cruzó sus manos por delante del pecho, moviendo los pulgares.

—Vaya gaita, don Pedro. Hay que avisarle a don Carlos, el que hacía entonces de Juez en Talmonte. Pero...

¿si estuviera vivo el Pastor cree usted que no iba a haberse enterao nadie? ¿Cree que no iba a haber venido al menos cuando la muerte de su pobre padre?

—Los Macías tienen fincas en Navalalta y Serrijón, ¿no? —preguntó don Pedro.

—Sí. Lo que tenemos que hacer es avisar mañana mismo a don Carlos Benítez. Ahora está de Magistrao en la Audiencia, pero tengo entendido que pasa temporadas en su casa, en Talmonte. También tendría que saberlo el hijo mayor de los Macías —se encontró con los ojos del Cura—. ¿Y qué piensa usted hacer con la carta?

Al Médico se le habían puesto los ojos relucientes. Se quitó los lentes y hasta parecía unos años más joven. Estaba apoyado en la mesa, descansando su cuerpo ya casi rechoncho. Se le notaba colorado e inquieto.

—¿Y qué pensaba usted hacer con la carta? —insistió.

—¿Qué quiere usted que vaya a hacer? Si el Pastor está vivo, volverá a escribir. La carta dice que necesita su fe de bautismo, ya la ha leído.

—Lo mejor es hablar a solas con el Juez. Por sí o por no, buena gana de darle cuartos al pregonero. Digo yo que si estuviera vivo, ¿cómo no iba a haberle escrito a su propia hermana para eso de la fe de bautismo? Lo mejor es que haga usted como si no hubiera recibido la carta, hasta que veamos a ver... Nada va a arreglarse ya, y sí a estropearse.

—Bueno... yo creo que ahora teníamos que hablar con don Blas, y acercarnos mañana a casa de la hermana del Pastor, por enterarnos si es que saben o callan algo.

—¿Dice usted de ir ahora en casa del Alcalde? —se volvió hacia la puerta del comedor, para escuchar, por miedo a que se hubiera enterado la criada—. Pero aparte de Blas, lo mejor es que no se entere nadie por nada de este mundo, hasta que sepamos a qué atenernos, ¿eh, don Pedro?

Sin hacerle caso al Médico, comenzó a pasear, pegado a la mesa. Llevaba el abrigo abierto enseñando toda la sotana arrugada. Resollaba, y miró, abstraído, al quinqué. Se sentía de nuevo cansado, con dolor en el lado derecho de la cabeza y en la cuenca del mismo ojo. «¿Estarían ya acostados en casa de Blas?», se preguntó en voz alta.

—Aguarde usted a que me vista y me ponga unas botas.

Había quedado abierta la puerta. Al fondo del pasillo, en el dormitorio, oyó que hablaban el Médico y su mujer. Pero no llegaban claramente las palabras. Brígida no debía haberse acostado todavía, y le pareció oírla arrastrar los pies por la otra punta del pasillo. Hacía frío en el comedor, y se oía soplar, de vez en vez, el aire, en la calle, lamiendo las ventanas y las fachadas de la casa. Entreabrió la madera. A través de los cristales, miró a lo oscuro. Todo el pueblo se le antojaba dejado de la mano de Dios, mientras oía soplar el viento, el cierzo aún. Tenía angustia, y volvió a pasear por la habitación, armándose de paciencia, resollando, con los brazos cruzados, como se ponía en el confesonario cuando confesaban sus pequeñeces las mujeres: la tía Casilda antes de morir, y Candidilla, y María, y la otra. Había pocas culpas que confesar en este mundo. Las culpas de verdad nadie quería verlas. Sentía que Brígida continuaba despierta, recorriendo la casa silenciosa, como un alma en pena.

—No le he dicho nada a doña Flor. Le he echado una disculpa para salir —dijo el Médico.

—Los Macías tienen tierras y ganados en Serrijón. Mañana teníamos que ir a ver lo que cuenta la hermana del Pastor.

Salieron sin que se enterase la criada. En cuanto dieron unos pasos entre lo oscuro, se metieron de lleno en el barrizal. Se remangó los pantalones y la sotana, y sentía las salpicaduras en las piernas. Le entró agua en los zapatos, al cruzar una calle. El Médico iba un trecho delante, pero le oía jadear. En algunos momentos veía el vaho de la respiración del Médico, y oía su ahogo como el de un perro. No recordaba si había cogido otra vez la carta. Se buscó precipitadamente en el bolsillo, sin detener sus pasos. No quería quedarse atrás. Arrugó el papel en la mano, dentro del bolsillo. Sintió como un consuelo porque no había perdido la carta.

—A nadie nos interesa que se arme un lío, ahora —dijo don Eladio—. Usted mismamente habló la mar de veces con el Juez y con don Mariano Macías, que en paz descanse. Y los periódicos se pondrían a hacer política, que siempre quieren los políticos sacar tajada de todo —murmuró sofocado, deteniéndose para esperarle.

Oía don Pedro sus propios pasos chapoteando en el agua, en medio del completo silencio del pueblo. Rozaba el cuerpo y las manos contra los muros de adobe. A ratos, caminaba medio apoyándose en los muros de las casas. Llovía otra vez, aunque suavemente. Se oía un susurro constante, blando, sobre los tejados y el suelo: un ruido lacio y menos agobiante.

—Parece que hay luz en la casa —dijo.

—Verá usted cómo Blas es partidario de lo mismo que yo le decía —carraspeó—. De que lo mejor es hacernos a la idea de que no ha recibido la tal carta, mientras no se hable con don Carlos y con el mayor de los Macías —murmuró las últimas palabras, mientras el Cura buscaba a tientas el aldabón. Se calló, mientras sonaban los golpes—. Yo estuve en el juicio, y sé que quedó bien probada la muerte del Pastor. Fueron hechos probados, como dicen en su lenguaje la gente de leyes.

11

Pensaba que a fuerza de oír las mismas historias habían llegado a creerlas. Tomaba vida el crimen, como si hubiese sido verdad. Y le zumbaba en los oídos, y hasta le latía delante de los ojos —muy presente— como le venía a los labios y a la mente el Credo o la Salve. Los ricos lo habían creído desde antes del juicio, igual que si fuese una necesidad o aumentase su fuerza con creerlo. Y también él mismo lo tuvo por algo indudable.

Doña Flor mandaba salir a Brígida, y se ponía a contarlo.

—Anda, tienes que ir a un mandado.

—Ya voy. En seguida.

Chirriaban las sillas en el patio, cuando se acomodaban, esperando en medio del silencio, a que comenzase la historia.

—Yo he llegado a la conclusión de que sin justicia, nadie podría con tantísimo salvajismo como hay en España —decía el Médico—. Nadie.

Doña Flor empezaba a contar. Y también —no en el patio, sino en la Sacristía, al terminar el Oficio, o cuando había sido bautizado un niño, o en el confesonario— el Alcalde movía la cabeza asintiendo, justificándose.

—Sí, aprovecharon los criminales que la mujer había ido al pueblo —decían—. Llamaron al Pepillo a grandes voces.

No oía más que el silbido continuo del aire, cuando fue al Alto del Arroyo. Estuvieron reconstruyendo el crimen. Para ellos era tan cierto como que había Dios, como que Dios había hecho y deshecho todo lo de este mundo de pecados. Caía de bruces sobre la historia del crimen, casi como la contaba doña Flor. Pese a los ojos de la tía Casilda. Pero no podía ser falso y verdad a un mismo tiempo.

—Tanto salvajismo como es, matar un hombre, y echar el muerto a los cerdos —decían.

Lo tenía todo presente. Durante años y años la había oído a retazos; salir la historia de los rincones, del olor y la penumbra de las cocinas, del repiqueteo del almirez. Decíanlo todos, menos los ojos redondos, como los de un mochuelo, de la tía Casilda, y menos el cuerpo de Brígida, cuando Brígida cruzaba igual que una sombra. A pesar suyo lo tenía presente don Pedro, desde que en el Alto, habían reconstruido el crimen.

Fue así:

La mujer se ha ido al pueblo, con el chico en brazos. Quiere que los abuelos vean al niño. No se ha tropezado con Pepillo ni con Braulio. Ellos llegan por otro camino, hasta la Casa del Alto del Arroyo. Vienen toda la vereda de los álamos adelante, al oscurecer, después de encerrar a las ovejas. Aún se oye balar a las ovejas en el redil, y ladrar al perro atado, nervioso, tirando inútilmente de la cuerda que se clava en el cuello y quiere ahogarle.

—Hale, vamos más de prisa —va diciendo Braulio, serio, torciendo un poco la mandíbula, como si se riera por lo bajo—. ¡Crisanto! —grita.

—Ahora mesmo —responde Crisanto, y sale por la puerta trasera. Se da la vuelta a la casa, más allá de la lonja. Va despacio, sin doblar las piernas, para no hacer ruido, para que no se sienta el rechinar de los pasos en la tierra seca. Tiene que colocarse detrás del zarzal, con el garrote empuñado, esperando a que Pepillo le dé la espalda.

Pepillo y Braulio se paran en la lonja, y, luego, delante de la cocina, un largo rato. Pepillo apoyando la espalda en la jamba de la puerta; y Braulio detrás, de cara a la oscuridad, sin ver, con los ojos que le revientan en las órbitas.

—Pasa, hombre. Éste ha contestao por ahí hondo —dice disimulando, sacando fuerzas para hablar.

—Tengo calor —dice Pepillo. No se decide. Pero, al fin, da unos pasos detrás del otro, por la cocina medio oscura. Oye pasos detrás, ruido. Y va a volver la cabeza. Se acerca temblando Crisanto, perdiendo el resuello. Trae el garrote levantado con las dos manos. Le da fuerte a Pepillo en la cabeza, en los hombros. Le golpea con el garrote, donde sea.

Braulio abre la navaja y cae encima de Pepillo, clavándosela a ciegas, en medio de las tinieblas de la cocina.

Salen Braulio y Crisanto a la luz lechosa de la anochecida, con los ojos quietos, consumiéndoseles en las cuencas. Les da una luz pálida en las caras. Braulio tiene las manos negras, manchadas, calientes. Se le pega la sangre entre los dedos.

—Aprenderá a no meterse con la yegua ajena. ¿Le has mirao? No tiene ná, coñe. Ni dinero tiene.

—Mira tú.

—No tiene ná.

—Aprenderá a meterse con la mujer ajena.

Entran, de nuevo, a lo oscuro. Se ponen a registrar las ropas, las carnes suaves del muerto. Les tiemblan las manos entre el vientre casi frío y las ropas. No se dan descanso. No paran.

—Es que no lleva encima dineros.

Salen, de nuevo, a la anochecida. Cada vez hay menos claridad, y se miran las manos negras, pegajosas como de resina o de barro santo. Jadean como perros y están temblando, sin pronunciar palabra, mirando con miedo en dirección al pueblo, mirando y temblando a cada instante, oyendo todos los susurros del campo. Los grillos siempre, y, de pronto, la lechuza, o una mata crujiendo empujada por el aire, por un soplo frío de aire que sentían en la espalda, entre el sudor y el bochorno.

Van y vienen, entran y salen, con los brazos colgando, en danza. Miran y miran desde la puerta, al bulto caído en el suelo de la cocina.

—¿Qué vamos a hacer con él?

—Trae el hacha —dice Crisanto, desesperadamente —. Hay que desnudarle y tirar la ropa en el monte o en el río—. Trae el hacha grande.

—¿Qué?

—Los cerdos. Trae el hacha.

Lo desnudan, a oscuras, a tientas. Y lo arrastran hasta las cochiqueras. Braulio cuelga el candil en el clavo que hay en la pared. Trae otro candil, mientras mira a los cuatro cerdos grandes y a la gorrina, que mueve las tetas al respirar, dormida. Rebullen los tres lechones pegados al vientre, al olor de la leche.

—¡Madre mía! ¡Puñetera suerte! ¿Quiés que nos maten? ¿Quieres que encuentren al muerto?

—El hacha.

Tiemblan, y están tiesos como leños, sucios. Cierran los ojos a cada golpe, y los abren vidriosos y empañados, sin mirar. Van echando los trozos a los cerdos, despertando a los animales a patadas, a la luz de los dos candiles. Están hambrientos los cerdos. La gorrina se despega de sus lechones, sacude la geta y va al olor de la carne.

—No van a comer más, hasta que venga pasao mañana la María.

Se asoman a cada momento. Cruzan la cocina negra como una cueva. Crisanto tira de la cuerda del pozo, y rechina la garrucha. Se chapuzan en el agua del cubo, tiritando. Suben otro cubo y otro. Se lavan la cara y los brazos, y las piernas, y las ropas, tiritando con cada soplo del aire, con cada bocanada, que trae al mismo tiempo el crujido de unas matas o algún otro ruido del campo. Tiemblan de frío y de miedo. Y los grillos aletean siempre, sin parar. Miran los dos hombres, derechos, tenso el oído y el miedo. Miran hacia el pueblo, hacia el campo y la vereda. No se oye ahora al perro del Pastor. Si acaso, muy lejos, ladran los perros de otros caseríos. Ni oyen, ahora, el balido de las ovejas. Braulio y Crisanto se asoman durante toda la noche a mirar: tan pronto hacia dentro, donde hozan los cochinos, como hacia el campo rumoroso, sin apartar para nada la atención de las sondas.

—No vales pa nada.

—Saca más agua.

—¿Oyes? ¿Escucha?

—¿Qué?

—Echa unos cubos por la cocina.

—Más.

Se ve el firmamento casi blanco por el cerrillo, a lo mejor es el Camino de Santiago y como si fuera a amanecer; pero no termina de notarse el alba. Toda la noche así. Hay muchas estrellas, un número sin fin, y el campo entero resuena, susurra como una iglesia llena de gente rezando por lo bajo y dándose golpes de pecho. A ratos se oye correr el agua del río, lejanamente. No terminan de notarse los claros del día. Lo que se ve es el Camino de Santiago.

—¡Por tós los Santos! —dice Braulio—. Está muy fría el agua de este pozo.

12

Vio que el Alcalde y el Médico se miraban entre ellos. Se sentía como un poco al margen, desde que les había enseñado la carta. Hacía frío. Iba quedándose fría la casa. El Alcalde se había echado un gabán por los hombros, y se agachó desde la silla a mover el último rescoldo del brasero.

—El caso es que todo quedó bien claro en el juicio. Yo en el pellejo de don Pedro, hasta rompía la carta, sin perjuicio, naturalmente, de hablar con don Carlos y con el mayor de los Macías —hizo un esfuerzo para sonreír.

Vio que volvían a mirarse entre ellos, hasta se le notaba cierta preocupación. La mujer de don Blas se había asomado a la puerta. «Buenas noches, don Pedro. Hola, don Eladio. Ustedes están muy animaos con la charla, y yo me voy a acostar». También oyó que hablaba por lo bajo con sus hijos mayores, en el pasillo. Se sentía el Cura al margen, pero dijo:

—¿Quién puede sino haber escrito esta carta? No sé ustedes, pero yo siento como si todo se viniera abajo.

Callaron un instante, y don Blas se colocó el gabán, que se le escurría de los hombros.

—Pasado mañana podemos ir a Talmonte, estará allí don Carlos. Como ahora es Magistrado en la Audiencia de Cuenca, se pasa en la capital los primeros días de la semana —dijo el Médico—. Si Capote nos prepara la tartana y quiere llevarnos... ¿Cuándo es cuando viene el auto ese a casa de Capote?

—No creo que venga hasta dentro de un par de semanas —dijo Blas—. Tendremos que ir en tartana.

Don Pedro estaba intentando atar cabos en su memoria, escudriñando en todo el tiempo pasado, desde que había venido hacía muchos años al pueblo en la tartana del Cura Párroco de la Trinidad de Talmonte. Había llegado joven, con el atolondramiento de los pocos años, mirando las llantas de las ruedas como piedras de afilar. Ahora llevaba mucha más edad a la espalda, y le parecía que no había pasado para él más que las lluvias, los calores, el barro del invierno o la polvareda del verano. A lo mejor toda la vida era engañosa, menos a los ojos de Dios. Les oía hablar —al Médico y al Alcalde— y sabía que se miraban entre ellos, un tanto asustados.

—Lo malo es el revuelo que pueden armar las gentes que viven de la política, con todo este asunto. A esos es a los que hay que tener más miedo.

—Y desde que murió don Mariano, que no andan las cosas claras en el Partido y hasta en la Provincia —dijo Blas—. La gente está que se mata con que si va a haber elecciones.

Tosió don Pedro, mirando abstraído al rescoldo del brasero.

—Antes de que vayamos a Talmonte a ver al Juez, yo creo oportuno hablar con Marta, con la hermana del Pastor. A lo mejor resulta que saben algo, que hay algo de particular, porque a mí también me extraña que... vamos, que si está vivo el Pastor, no les hubiera escrito a ellos nunca.

—¿Quiere usted más pruebas de que no hay que hacerle caso a este asunto? —dijo el Médico.

—Claro —dijo Blas.

—Pero... ¿quién puede haber sido, sino? ¿Quién?

El Alcalde no paraba de tocarse el bigote, mientras hacía por explicarse y se encogía y alzaba los hombros. Le atajó don Eladio:

—Desde luego no está mal que se haga alguna averiguación —dijo tímidamente.

Oyó el Cura que los hijos mayores del Alcalde hablaban de nuevo, afuera. «Tenían trapío las reses, pero los espadas a ver si los traen mejores que los de marras», decía uno de los mozos. No apartó don Pedro los ojos del rescoldo. Notaba aumentar su incertidumbre, mientras el Alcalde y el Médico seguían allí, torciendo el gesto, y hablando porque tenían boca, pero de seguro pensando en meterse cuanto antes en la cama, como si ellos dos sintieran de otra manera —lo notaba— las cosas gratas: la buena mesa o el buen vino o la buena cama o el olor del campo. A él todo se le escapaba de las manos con los años, al revés que le ocurría a la gente. Le ganaba el aburrimiento y la modorra. No podía tener las cosas tan jugosas como debían de sentirlas —en las yemas de los dedos y en el vientre y hasta en el tuétano— los mozos y la gente que tenía posibles y que vivía la vida, los que se casaban y gozaban y poseían de noche a sus mujeres, consumiéndose en algo así como el mismo gozo de la leña al arder. A lo mejor era esto solamente lo que ilusionaba y mantenía atada la gente a la perra vida terrenal. ¡Válgame Dios!, sin pensar en la muerte ni en el Infierno, sin dolerse a deshora por los males que llegan en la propia cama, sino de los otros, de los que nacen de la pobreza, de lo que llega a sopetón en el camino, con hambre y miedo, como un tiro a bocajarro o la hoja de una navaja, mientras se busca el condumio.

—Si alguno de ustedes quiere acompañarme, yo sí que iré mañana a hablar con Marta, antes de que vayamos a ver a ese señor que fue Juez de Talmonte.

—Sí que iremos —dijo el Alcalde—. Aunque no creo que en casa de la hermana del Pastor sepan nada.

Se habían levantado todos de las sillas, y quedaron un instante de pie, avanzando y retrocediendo sus pasos en el corredor.

—Lo acompaño hasta su casa, si me lo permite, ¿eh, don Pedro? —dijo el Médico.

—Vaya con Dios, prefiero ir derecho y saber que usted también se va a su casa a descansar.

Les acompañó el Alcalde hasta la puerta. Y miraron los tres hacia el cielo oscuro, encapotado.

—Sí, ha dejado de llover, y parece que ha templado mucho la noche —dijo el Médico—. Mañana Dios dirá.

Se fueron cada uno por su lado.

El Cura tenía frío. Pensó que cuando regresase a su casa calentaría un poco de café. Lo guardaba hecho en un puchero de barro. Todavía no era medianoche, y podía tomar lo que quisiera, aunque había de decir una misa de difuntos por la mañana. Temía que iba a pasarse toda la noche bajo esta sensación de ansia. Oyó que abrían una ventana —el ruido— y vio la cara angustiada de un labrador que alzaba los ojos al cielo para ver cómo respondía el tiempo. Igual que cualquiera de aquellas miles de noches en las que Braulio y Crisanto estuvieron presos, los labradores miraban al cielo, para saber cómo sería el día siguiente o la siguiente luna, cómo granaría o se perdería la sementera, cuál sería el provecho, las peonadas en la siega, en la vendimia y en el olivar. Y en casa de don Eladio seguirían hablando del Moro, de liberales y conservadores o de republicanos y anarquistas, de la desvergüenza de las modas en la Corte, y, sobre todo, del precio de la fanega de tierra o de trigo, de la Cuaresma y de los guisos que preparaba doña Flor para la vigilia; guisos que olían a azafrán y a ajos. Doña Flor se hacía lenguas por todo, y hablaba de la riqueza y recogimiento de la última Semana Santa, a la que asistió en Cuenca, en Murcia o en Andalucía. Mandaba una fuente de torrijas al Cura, todas las Semanas Santas. El pueblo dormía igual que cualquiera otra entre millares de noches, como cuando salía a dar la Extremaunción. No oía más ruido que el de algún goterón de agua, y sus propios pasos chapoteando en el barro. Las historias del crimen de Osmilla le parecían tan lejanas y terribles como las salmodias que había oído cantar a los corros de ciegos en Talmonte, por las mañanas soleadas del invierno o a la sombra de la puerta del Mercado en el verano: historias que eran igual que un castigo de Dios, algo muy luminoso para el que las vivía, con igual misterio que las estampas que en el Seminario calcaba, de chico, desde las páginas de la Historia Sagrada.

Reverdecía aquella panza de tierra. Desde hoy hasta junio: cuando ya no quedaba ni una brizna verde, sólo el pardo tomillar. Se veían, ahora, los cardizales frescos y los hierbajos naciendo entre el barro. Tenían los chicos las rodilleras de los pantalones mojadas, salpicados de agua. Y la niña el faldón negro con costrones de barro, y los polos revueltos. Corrían frente a un tapial de adobe. Fueron los chicos —los tres mayores de Marta— quienes primero los vieron venir. La calle, y un trozo de camino por el que la calle continuaba, habían sido empedrados con guijos hacía un par de años. Subía la leve costanilla desde el corazón del pueblo. Pasado el cardizal, ya era senda, y torcía hacia la casa de Justino: donde vivía ahora Marta, la hija de Justino.

El Cura, con el gabán negro sin abrochar, y don Eladio y el Alcalde, embozados en sus capas, venían pegados a la tapia, para no pisar el centro del camino, que aparecía arado por las ruedas de los carros.

Dos o tres veces volvieron la cabeza los chicos, para cerciorarse de que los hombres seguían detrás. Antes de que los hombres torcieran por la vereda, ya estaban seguros los chicos: No podían el Cura y los demás, ir a otra parte.

Siguieron los hombres, durante un buen trecho, sin

hablar. En llegando adónde ya se distinguía claramente la casa, el Médico adelantó un poco el paso hasta colocarse a la vera del Cura.

—Bueno, desde que murió Justino, o, mejor, desde que murió don Mariano Macías, la verdad es que en esta casa andan peor las cosas. Ya verán ustedes con sus propios ojos. Yo vine cuando la Marta tenía al pequeño que si se le moría...

El Alcalde carraspeó detrás. Escupió en un cardizal que se asomaba a la senda. También apretó el paso.

—Además la moza que casó con ese medio gitano —dijo— es un tipo malencarado, que gracias a Dios no estará en su casa.

—Sí, desde que murió don Mariano... aunque yo no digo que no tuviera don Mariano sus defectos, que sí los tenía y gordos... pero desde que murió él, ni atienden los Macías a quienes les son fieles, como les era Justino; y la gente anda desmandada y sin respeto —soltó el Médico.

—Sí, los hijos de Macías no son igual; y, además, en Talmonte y en las capitales todo el mundo anda perdidico con la política, ¿eh, don Pedro? —dijo el Alcalde.

—Ya estamos llegando.

Habían llegado antes los chicos. Asomaban a la puerta, y también Marta, con el pequeño en brazos. Miró el Cura, hacia la parte trasera de la casa, hacia la tierra de labor. Y vio que estaba sin labrar; sin labrar probablemente desde hacía un par de años. Surgía abandonada y llena de crecidos hierbajos. No había vuelto él allí desde el año en que desapareció el Pastor.

Marta —mientras se acercaban— daba cortos paseos, con el hijo pequeño en brazos, meciéndolo y canturriando, pero sin apartar los ojos del camino.

La gran habitación que terminaba en el corral estaba muy sucia, con las paredes llenas de mugre y hollín.

—Buenos días nos dé Dios. Ave María Purísima, don Pedro.

Parecía una mujer con mucha más edad de la que realmente tenía. Miraba, de vez en vez, y bajaba los ojos para atender al chiquillo de pañales. Lo llevaba envuelto en una toca blanca, muy sucia y raída. Los tres chicos mayores asomaban medio riendo, haciendo extraños con la cara. Se escondían detrás de unas canastas de mimbre vacías, apiladas en un rincón, que medio tapaban la salida al corral. Dos o tres gallinas picoteaban en el suelo.

—Oye, Marta —se soltó la capa el Alcalde—, no está tu marido, ¿verdad?

—No, señor. Fue a por leña y a vender unos cestillos a Talmonte.

—Mira, da igual. Creo que tú lo sabrás —dijo el Médico, dando unos pasos hacia la mujer, y soltándose también la capa—. Vosotros no tenéis ningún pariente por el lado de Serrijón, ¿verdad que no?

Aguantó un momento la mirada del Médico, y bajó los ojos.

—No, señor, don Eladio. Que yo sepa... —se volvió a gritarles a los chicos, que movían las canastas—. ¡Condenaos!

El Cura había llegado hasta la entrada del corral, y la niña se acercó a besarle la mano avergonzadamente. Luego, los chicos se escondieron en el corral. Huyeron a todo correr.

—¿Ni nunca le oíste decir a tu padre, que en Gloria esté, de que le escribieran de Serrijón o Navalalta? —preguntó don Pedro.

Había hablado él desde atrás, y Marta ni se volvió para contestarle.

—No —dijo secamente. Siguió hablando a regañadientes con los chicos, reprendiéndoles, a pesar de que se habían escondido ya en el corral.

—¿Sabéis que están al salir de la cárcel Braulio y Crisanto? —dijo el Alcalde.

—Algo habíamos oído.

—Bueno, a deciros eso veníamos —dijo el Alcalde—. Por si se les ocurre venir al Braulio y a Crisanto por Osmilla, que no tengas nada en su contra.

—No, señor, don Blas.

Notaba el Cura que con quien con menos quería hablar Marta era con él. Se encontraron todos, durante un rato, sin saber qué decirse. Parecía como si el Alcalde y el Médico no quisieran seguir adelante la averiguación.

—¿No tendréis algún pariente en Serrijón, que tenga el mismo nombre de tu hermano Pepillo? —preguntó el Cura.

Se revolvió, pero sin mirarle a la cara. Levantó los ojos, para mirar al Médico y al Alcalde, mientras mecía violentamente al chico.

—¿Y nunca os han enviado carta, ni recado desde esa parte de Serrijón? Piénsatelo bien, Marta —insistió don Pedro.

—¡Yo qué sé! Una qué sabe de las cosas de los hombres. A mí no me vengan ahora con esas preguntas —se encaró, resuelta, con el Alcalde—. No nos metan en ningún lío —se excitaba y, entonces, miró a todos con rabia, incluso al Cura—. Usté conoce a más gente que una, en toas partes.

Había vuelto a asomarse la niña a la puerta del corral, junto a las canastas. Estiró el brazo Marta, y empujó a su hija, con la punta de los dedos.

—Saliros de aquí, y no déis más matraca. ¡Condenaos de chicos!

Iba calmándose, y colocó con cuidado la toquilla del niño.

—Ya les he dicho que no sé. Pregúntenles ustedes a la familia de los amos. Ustedes pueden hablarles de igual a igual. Don Mariano se pasaba en ese pueblo de la Sierra la mitad del verano...

Iba a preguntarle que cómo sabía aquéllo, pero se dio cuenta de que Marta estaba temblando, abrazada al chico de pañales. Miró a Blas y a don Eladio, que se habían parado en llegando a la puerta, y habían vuelto a encajarse las capas.

—Está más nublo otra vez —comentó el Médico, mirando hacia afuera.

—Sí, vámonos ya —dijo el Cura. Se abrochó los botones del gabán.

—Sí.

—Con Dios a todos —murmuró Marta.

Salieron bajo la mirada de los chicos y de la mujer. Emprendieron el regreso, ahora cuesta abajo. Y, de nuevo, en fila, pegados al tapial, mirando, reconociendo incluso, las huellas de los pasos que dejaran antes. Carraspeaba de vez en cuando el Alcalde. Se pasaron un gran trecho sin despegar los labios. Al fin, dijo el Alcalde:

—A lo mejor hubiéramos hecho mejor viniendo cuando estuviera el marido. Las mujeres se asustan por cualquier cosa, sin motivo.

—Qué va, peor que peor con el gitano del marido —dijo don Eladio—. Lo cierto es que todo esto es cosa del Juez. A nosotros… —torció la boca—. No merece la pena porfiar por cosa ninguna en esta vida.

Don Pedro se buscó impensadamente en el bolsillo, con la impresión y el sobresalto de que se le hubiese perdido la carta. Pero estaba allí. No había pegado ojo en casi toda la noche, y le volvía ahora una desazón por todo el cuerpo. Tocó el papel de la carta, dentro del bolsillo. El cielo estaba bastante encapotado, negruzco.

—Mañana mismo hay que verse con don Carlos, ya estará de vuelta de Cuenca —dijo el Alcalde.

—A ver si nos lleva Capote en la tartanilla. Vendrá usted, ¿no, don Pedro?

—Sí —movió la cabeza afirmando, y se miraron los tres, como con resquemor.

Llegando a la iglesia, torció don Pedro por la primera calle. Levantó la mano para despedirse. No volvió apenas la cabeza. Estaba el día muy oscuro. Apretó el paso, aunque sentía una extraña pesadez en las piernas. Cuando entraba en la calleja estrecha, en la semioscuridad, comenzó a granizar. Se movían, al caer, los granizos menudos, en el suelo. Y parecía que corrieran por el pavimento una plaga de insectos blancos, a saltos, aquí y allá, como si dieran diminutas carreras. Llevaba el Cura levantada la solapa del gabán, pero tenía frío. Recordó el día en que fue a confesar a la tía Casilda. Había estado don Pedro a su lado, oyéndola susurrar, sin lograr entenderla apenas. Sólo le oyó decir que Pepillo el Pastor estaba vivo. Quizá lo había soñado la vieja. La recordó estirada en la manta, ya muerta y con la boca desencajada. Todo se le escapaba de las manos, ahora. «Dios». Se sacudió el barro de los pies. Echó una mirada al interior de la iglesia solitaria y oscura, por ver si quedaba alguien rezagado. Sacó la llave del bolsillo del gabán, y cerró. Se oían los golpes del granizo, afuera. Caía con más fuerza. Cruzó él la Sacristía y subió las escaleras, jadeando. Le pesaban las piernas y sentía un hormiguillo de frío en la espalda, y soledad y desesperanza.

13

Rompió la carta en cuatro pedazos, y, se detuvo en su tarea. Quedó quieto, con los trozos de papel en la mano. Estuvo recomponiendo la carta; y se pasó mucho rato acordándose de la tía Casilda muerta, del entierro de la tía Casilda en una tarde de sol: una tarde con las mujeres aglomeradas a la puerta de la casa, y los hombres con las gorras en la mano, arrastrando los pasos entre el zumbido de las moscardas. Él iba delante, junto al monaguillo con la cruz. No habían asistido ni don Blas, ni el Médico, ni el Alcalde, ni ninguno de los ricos. Entonces le pareció que estaba solo entre aquellos rostros y el olor sofocante a ropa vieja y sudada, y el zumbido constante de las moscas.

Ahora, desde que había intentado recomponer la carta, le parecía que no quedara nada entre sus manos. Tumbado en la cama, entre las sábanas y las mantas tibias, miró hacia la cómoda. Encima de la piedra blanca de mármol estaban los cuatro trozos unidos de papel, y el paño con bordes de encaje amarillento, sucio, con un desvaído manchón de tinta.

Se levantó tiritando de frío, después de intentar vencer los últimos restos de pereza, poniendo los pies descalzos en el esterillo de esparto, raído por los bordes. Se guardó los trozos de la carta en el bolsillo del pantalón.

Tenía que bajar a decir una misa. Y, después, o quizás antes, en seguida, vendría Brígida con el desayuno que le enviaban de casa del Médico. Era cosa de doña Flor, desde hacía un montón de años, enviarle un chocolate con picatostes. Estaba temiendo y deseando él, a ratos, que viniese Brígida con el desayuno. Se acordaba de cómo había sido Brígida moza. Todavía ahora tenía ella el cuerpo joven, más joven que las mujeres de su edad, quizá solamente porque no se había casado ni se había puesto a parir y a criar hijos como las otras.

Sonaba allí mismo, en el balcón, la campana que llamaba a la misa: cinco o seis golpes iguales. Luego, todo quedó en silencio. Era todo lo mismo que siempre. En la Sacristía el monaguillo vino encogido, medio gacha la cabeza rapada, y los ojos cazurros, de pícaro, desdoblando las ropas de oficiar la Misa. Igual que siempre, ocurría todo aquella mañana. Apenas había nadie en la iglesia. Tres o cuatro viejas en los primeros bancos: la tía Carmela, que a veces, le recordaba a la tía Casilda, Martina. Tenía un nudo en la garganta mientras empezó a decir la Misa.

Subió las escaleras, sin saber qué le urgía. Había terminado pronto. Brígida le había traído el desayuno de convite. Notó en su mano que Brígida había venido corriendo, respiraba la mujer con jadeo y le quemaba a ella la boca como si tuviera calentura.

—Don Eladio dice que vienen en seguida a buscarle con la tartana de Capote, para ir a Talmonte.

—¿Llueve?

—No, don Pedro. Ha salido un poquejo el sol.

—¿El sol? —preguntó distraídamente.

—Sí, con cara de limón —dijo Brígida, y se fue como avergonzada, con la cara llena de calor. Reía sola, ya por las escaleras abajo. Se oía la risa de Brígida, reventando disparatadamente escaleras abajo. Todo quedó silencioso. Sabía que, pronto, iban a venir a buscarle, y estaba intranquilo, recordando la visita a casa de la hermana del Pastor. Se puso a darle vueltas en el magín a las contestaciones de Marta. Algo no andaba claro, a no ser que los hombres estuvieran soñando y fueran como pavesas que no saben adonde van o si todo es verdad o mentira. Pero bien sabían, eso sí, arrimarle el ascua a su sardina.

Verdaderamente había salido el sol. Lo veía entrar en un haz por el balcón, encendido el polvillo del aire. Estaba deseando que viniera la tartana de Capote. Se puso el manteo, sin avisarle siquiera al monaguillo para que lo cepillara.

—¡Señor Cura! —gritó desde abajo el chico.

—Ya voy. Ya voy.

El mismo Capote llevaba las riendas de la tartana, y el Alcalde y el Médico se habían sentado en el banco de la izquierda. Dejaron al Cura el asiento de enfrente.

—Así va más holgado —dijo don Eladio.

—Póngase la almohadilla, don Pedro —se volvió Capote—. He preferido llevar yo la tartana a que tengamos un testigo de vista. Póngase la almohadilla, porque el camino no debe andar muy allá. Llevará más descansao el trasero.

El monaguillo les miraba desde abajo, muerto de envidia. Aguardó a pie firme, hasta que arrancaron.

Tenía ganas de ver la cara que pondría don Carlos Benítez, el que había sido Juez de Instrucción. Quizá que el Juez tampoco creyera nada. También preferiría el Juez no saber nada. Distraídamente, iba el Cura mirando el giro de las ruedas, y sintiendo los vaivenes y barquinazos por el camino. «¿Dónde vas? Traca. Traca. A la feria Traca. Traca», como repetían los mozuelos, siguiendo el ruido de los carros, persiguiendo a los carros, igual que los perros o alegrándose con el campanilleo de las mulillas, igual que se alegraba la gente en las corridas de toros, cuando arrastraban las mulillas a un animal bravo, a un animal que no hubiera sido manso, ni listo, sino ciegamente bravo y dispuesto para el sacrificio.

Le venía todo revuelto por su imaginación. La tierra estaba en trance de fermentar, y verdeaba incluso algún erial. No se veía ni un árbol. Había claras en el cielo, entre las nubes altas y sucias, y caían trozos de sol por encima del yermo y de la tierra reverdecida.

—Si no hay heladas en marzo, vas a tener cosechón, ¿eh, Blas? —dijo el Médico.

—Está más adelantada por el otro lado —señaló Capote—. Por donde tiene la finca mi mujer.

—Sí, pasao el alcor sopla más el Levante. Todos aquellos trigales son ya de los Macías, ¿no? —señaló, sin esperar contestación, el Médico.

Le parecía que quisieran demostrarse a sí mismos que iban camino de Talmonte por algún asunto insignificante o por puro placer de ir. Ellos querían conservar las cosas igual que estaban y habían estado siempre. Puede que fuera esto lo mejor. Se pasó un rato obsesionado, viendo girar las ruedas. «¿Dónde vas? ¿Dónde vienes? Traca. Traca. Mozas traigo. Mozas llevo. Traca. Traca». Y quería saber en qué terminaba aquella historia de la carta, para que las cosas no se le escaparan de entre los dedos. Aunque puede que fuera peor darle vueltas a las cosas, y ponerse a juzgar a muertos y vivos. ¿Quién tenía derecho a juzgar? Pero ellos sí habían juzgado y seguían juzgando y arrimando el ascua a su sardina. Siempre era más cómodo pensar que los veranos, las estaciones, las Cuaresmas, el tiempo de Pascuas a Ramos, los granos y graneros, los panes, los peces gordos, todo, eran cosas de Dios, que trabajaba calladamente allá arriba organizando la distribución.

—Se ha traído usted la carta de marras, ¿no, don Pedro?

—Sí —se tocó el bolsillo, sobresaltado, como recién despierto. Y se encontró los cuatro trozos de papel.

—He pensado que a lo mejor puede que fuera ciertamente del Pastor —dijo don Eladio—. El mejor escribano echa un borrón. Pero, ¿qué iba a poder arreglarse ya?... —torció el gesto. Hablaba e hizo la pregunta en voz baja, como cargado de resignación.

—Poco iba a poder arreglarse ya, desde luego —apoyó el Alcalde.

Sonaban con más alegría las campanillas de la potranca. Era una torda. El suelo del camino estaba más duro por aquella parte. No se hundían tanto las ruedas, y parecía que hubiera llovido menos por allí. Alegraba el trote el animal, resoplando de vez en vez. Capote aflojó las riendas. Volvió la cabeza, sonriente. Se le notaba contento y orgulloso por la fuerza de la torda.

—Buena que ha salío —dijo.

—¿Liamos un cigarro? —preguntó el Médico, al tiempo que sacaba la petaca y el librillo de papel.

Capote fue el único que no lió el cigarro. Se volvía, no obstante, de vez en cuando, para hablar, con las riendas fláccidas en la mano.

—Pues ahí donde ven la almohadilla en que descansa don Pedro, le costó un buen pescozón a mi hijo el mayor. Se la trajo de la Plaza de Toros de Madrid, cuando estuvo allí para la oposición. Y buen pescozón que le di, aunque ya era talludo, ¿eh, don Pedro?

—Bien dao —dijo el Alcalde. Y sonrió el Médico moviendo la cabeza.

El Cura se creyó en la obligación de sonreír también, y tocó tímidamente la funda de la almohada, sobre la cual se sentaba.

—¿Quién hay ahora de Comandante de la Guardia Civil en Talmonte? ¡Creo que hay Comandante nuevo!

—Sí. Han nombrao a un Sargento que casó con una hija de Jerónimo Romo —dijo Capote, sin volverse.

Don Pedro parecía estar seguro de que la conversación no se ajustaba siquiera a lo que cada cual estaba pensando. Tal vez había una relación diferente, hipócrita, engañosa y contraria a la verdadera. Porque —por ejemplo— cuando hablaban de Jerónimo Romo, querían decir: «Ése tiene un molino y una almazara y tierras de labor. Ése es de los nuestros, una persona de orden». Las palabras no es que tuvieran la cualidad de engañar, sino que oyéndolas era difícil jurar si el pecador engañaba o se engañaba a sí mismo, si quería engañarse y estaba metido hasta los ojos en una tela de araña. Era lo que le ocurría a él mismo. Estaba seguro: tan pronto quería irse y charlaba o iba de cacería con el Alcalde, con el Médico, Capote y hasta con la sombra de don Mariano Macías, como pensaba en contra de ellos, y en contra —por qué no saberlo— de su propia tranquilidad, cama y pitanza. Había caído entre ellos en busca de la misma tranquilidad y pitanza que tuvo desde niño. Se sentaba en su sillón de mimbre en la tertulia que hacía a la oscurecida en casa de doña Flor. En primavera olían las enredaderas, las madreselvas. Se recostaba él en el sillón, que crujía. Le daba vueltas con la cucharilla al café negro, medio amargo de la taza. A veces llegaba una bocanada de aire fresco y se oía el rumor de las hojas del emparrado. «¡Cómo suben los jornales en la siega! ¡Cómo se pierde el respeto por lo viejo! ¡Cómo se atenta contra el Orden y la Religión!», decían. Alguna vez, doña Flor hacía arroz con leche con un poco de canela en rama. No había tantos mosquitos, desde que habían puesto la tapadera al pozo. El mismo —don Pedro— y ellos, eran quienes habían entrado a saco por su religiosidad, por la idea que él tuvo siendo seminarista, por la idea que siendo joven tuvo de Dios y del mundo; habían violado sus ideas. ¿Es que valían? Era la llegada de la carta, el tropezarse con tan burda tela de araña, lo que le había puesto en semejante trance como el de ahora. Pero, desde antes de llegar la carta, ya se sentía extraño entre ellos, y les escuchaba como el que oye llover o se entregaba a la charla sin creer lo que decía. A lo mejor no era ni siquiera pecado, como son pecado una mujer desnuda, el odio o arrebatar la vida a un semejante.

Mal que bien había conseguido liar el cigarro Capote, y el Médico le acercó el suyo prendido. Se veía la torre de la Iglesia de la Santísima Trinidad y, más abajo la del Convento de las Trinitarias. Pasaron con la tartana por delante de la puerta con el letrero en el dintel: ASILO DE MUJERES INCURABLES. El Cura notó que, a pesar de su desazón, se le había hecho corto el viaje. Se asomó por encima del hombro del conductor. Sentía el golpe del aire en la cara, como una tralla. Le obligaba a entornar los ojos.

—¿Ustedes saben si hay sitio por el callejón, para que pase la tartanilla hasta la casa de don Carlos Benítez? —preguntó Capote.

—Creo que sí— dijo don Blas.

Se habían incorporado todos, apoyando las manos en las gualderas de la tartana. Miraban, medio en vilo, alargando el cuello, por encima de los hombros del conductor. Dos niños encogidos de frío, que llevaban pantalones largos y boinillas caladas hasta los ojos, les miraron desde la puerta del Convento.

La tartana entró, mal que bien, por el callejón, dando barquinazos.

Era un caserón grande, con escudo de armas en la fachada, y una portada de piedras carcomidas y viejas. Entraron sin tropezarse con nadie, aunque se oía canturrear a una mujer.

—¿Quién hay? —voceó el Alcalde, sin decidirse a seguir adelante.

La criada, aunque era vieja, estaba muy repeinada, con el moño untado de aceite o de brillantina. Les miró, como si no los conociera. Y el Alcalde se adelantó a hablar.

—¿Está don Carlos, Feliciana? Dígale que estamos aquí —dudó— de Osmilla.

—No los había conocido a ustedes... Pasen y espérenlo.

Como va una para vieja, ya pierde la vista que es una lastimica. Don Carlos tampoco anda muy allá de salud.

—Dígale que es un asunto muy importante —dijo el Alcalde.

Había una especie de salón, medio vacío, con varios balcones que tenían entornadas las contraventanas. En uno solo de los balcones estaban abiertas, mostrando unos visillos color rosa carne. En la penumbra se veían dos bargueños, varios sillones frailunos muy viejos y sillas de respaldo alto, arrimadas a las paredes, una mesa de comedor estilo español, recargada de tallas, un brasero grande de cobre todavía con restos de ceniza.

—No he encendido hoy —dijo la criada.

Tomaron asiento. Estuvieron unos minutos esperando, sin hablar palabra. Don Blas tamborileó un par de veces en el respaldo de la silla, con los dedos. Pero, al poco, dejó las manos quietas, apoyadas sobre las rodillas.

—Ahí viene —dijo, cuando oyó llegar los pasos lentos y suaves por el pasillo, detrás de unos cortinajes gruesos con brocados.

Estaba muy envejecido, desde la última vez que le había visto el Cura, haría un par de años, el día de la Virgen. Estaba casi en los huesos, y se le notaban ojeras y la piel amarillenta oscura, como de enfermo del hígado. Vestía un traje negro raído, que hacía brillos.

Se saludaron estrechándose las manos, ceremoniosamente. Y el Magistrado no hacía más que mirar a uno y otro lado, intentando saber qué asunto les traía a todos juntos a su casa.

—Es un asunto bien puñetero —dijo don Blas—, resulta que aquí, el señor Cura, ha recibido una carta que al parecer es del Pastor de cuya muerte se declararon culpables dos vecinos de Osmilla.

Le vieron palidecer, a pesar de su primitivo color, palidecer por momentos. Arrugó el ceño, y se pasó la mano por la frente.

—¿Cómo? ¿De qué carta hablan?

Les miraba, interrogándoles acuciantemente con los ojos. Todos estuvieron un rato en silencio, devolviéndole la mirada.

—¿De qué carta? ¿De qué carta me hablan? —se le notaba temblar la voz, según iba descubriendo a qué habían venido.

—Quien quiera que sea, ha escrito a don Pedro desde Serrijón, pidiendo la fe de bautismo del Pastor. No hemos dicho palabra a nadie, antes de hablar con usted y con los Macías —dijo don Blas.

—Pero... —volvió a pasarse don Carlos la mano por la frente—. Pero si ayer mismo me enteraron de que han puesto en libertad condicional a los presos. El Juicio ese quedó visto y sentenciado hace más de quince años.

Sacó el Cura los cuatro trozos en los que había roto la carta, y los recompuso sobre la mesa. Al retirar la mano, arrastró uno de los trozos de papel. Se agachó para cogerlo, y también se agacharon el Alcalde y el Médico.

—Mire.

—No tienen ustedes que hacer caso a esa carta, no. ¿De dónde dicen que la han enviado? —se acercó para mirar, volcándose sobre los trozos partidos de papel. Ni sé qué me dicen —resoplaba, apoyando las muñecas en la mesa.

—Es de Serrijón, o mejor dicho de un caserío que llaman Navalalta, donde tienen las dehesas los Macías —dijo el Cura—. Y firma ese hombre —se aclaró la voz, mientras intentaba juntar los trozos de la carta.

Se había incorporado don Carlos, y retuvo un momento la mirada del Cura. Un color se le iba y otro se le venía. Se llevó las manos abiertas a la cara y a la barbilla, como si fuera a arrancarse algo pegajoso.

—Yo no sé qué pensar, la verdad... —dijo—. Ni sé cómo han podido ocurrir estas cosas. Es como si se me viniera el techo encima. ¡Dios mío! Ustedes han hecho bien en callárselo en Osmilla. Tengo que hablar con los hijos de don Mariano Macías. Ellos sabrán. Digo yo que ellos deberían saber algo de ese que ha escrito desde Serrijón.

—Sí. Yo estoy convencido de que hay que callar, hasta ver en qué queda —insistió Blas, mirando a los otros, alzando los hombros tímidamente cuando se dirigía al Cura.

—¿En qué va a quedar? —preguntó el Cura, medio airado, como si se le escaparan las palabras. Y todos le miraron.

—Bueno... nosotros debemos dejar todo en manos de aquí —señaló el Médico—, de don Carlos. Por algo él es Magistrado en la Audiencia.

Capote estaba callado y asintió igual que los otros. Don Blas se atusaba el bigote, nerviosamente; y no paraba de lanzar miradas al Cura, quien no levantaba los ojos del cenicero de loza desportillado que había sobre la mesa.

No quería mirarles y sentir que le empujaban con los ojos a no podía entender qué especie de solidaridad, como si le pidieran la devolución de una moneda, la devolución y pago de cuando doña Flor decía: «Mande esa sotana con la Brígida. Ay, cómo lleva ese vuelto del pantalón. Bien se nota que no tiene mujeres en su casa», o mejor, de cuando recién llegado a Osmilla apenas conocía a nadie, y se pasaba las horas metido en su cuarto, detrás de la sombra de la persiana, oyendo los gritillos de los chicos, que parecían nacer del bochorno del pueblo.

Blas insistió:

—Sí, ya lo que podemos hacer es dejarlo todo en manos de don Carlos. Él sabe mejor que uno...

—Voy a hablar ahora mismo con los Macías, y hacer averiguaciones en ese pueblo. No cuenten nada de esto a nadie, por el amor de Dios.

Don Pedro levantó un momento los ojos desde el cenicero. Seguía sin despegar los labios. Ya no quedaba entre sus manos ni una brizna de lo que había creído durante años, ni una brizna ante sus ojos, ni dentro de su desmembrada memoria.

—¿Eh, don Pedro? —dijo el Alcalde.

—¿Qué?

—Sobre la necesidad de que nadie se entere de que ha existido esa carta.

Se encogió de hombros el Cura, casi sin darse cuenta. Al momento comenzó a agitar las manos, nerviosamente, hasta que se arrancó a hablar.

—¿Y quién iba a haber escrito, sino? ¿Qué piensa hacer usted y los Macías?

El Magistrado dejó caer sus brazos, y miraba con los ojos vidriosos, asombrados. Tenía la boca medio abierta, colgándole la mandíbula inferior.

—Al menos... —intervino el Médico calmosamente, con voz convincente—. Al menos hay que callar ahora. Espere usted hasta ver si vuelven a escribirle —se cortó. Y seguía el embarazoso silencio. Solamente se oía el jadeo de la respiración de don Carlos. Había apoyado las manos en la mesa y estiraba los brazos como si fueran dos polos.

—Por lo que más quieran...

—De esta boca —se tocó Capote los labios, con todos los dedos de la mano—. De esta boca no va a salir palabra, ni de la de ninguno, hasta que ustedes las autoridades decidan lo que hay.

—Claro —dijo don Blas.

—Yo tengo que hablar ahora mismo con los Macías —dijo hablando de prisa el Magistrado, salpicando perdigones de saliva—. Tengo que verlos ahora mismo —insistió.

—Eso. Nosotros sólo queríamos dejarlo en manos de quien procede. Vámonos ahora —se volvió a mirar al Cura— ¿eh, don Pedro?

El Cura miraba los trozos de papel de la carta, abandonados sobre la mesa.

—¿Eh, don Pedro? Lo dejamos en buenas manos —insistió el Alcalde de Osmilla.

—Ya nos tendrán al corriente —dijo el Médico.

Don Carlos Benítez echó a andar por el pasillo, detrás de los otros, acompañándoles. Andaba como de puntillas, a saltos, bailoteando, yéndose de uno a otro, y tocándoles los antebrazos y el pecho. Lanzaban todos interjecciones de asentimiento, como medio animándose entre ellos. «No» «Si no puede ser.» «Claro.» «Es imposible que a estas fechas.» «Lo sabrá el que haga de Administrador en Serrijón.» El Cura sentía la cara y las orejas que le quemaban. Tenía sed y estaba deseando encontrarse en la calle. Se acordó de la tía Casilda pegada a las rejas del confesonario, y del cuerpo tembloroso y yerto de Brígida-muchacha tumbado en el tranquillo, a la entrada de la casa de doña Flor. El tiempo había pasado, como una piedra de molino.

—Estaba haciendo memoria sobre aquello del juicio del crimen del Pastor, y casi no me acuerdo de nada. Es como si fuera un mal sueño por una mala digestión —dijo Capote, cuando ya estaban en la calle.

—Don Carlos se basta él solo. Y ya decidirá con los Macías. Hay que tomar las cosas como vienen, y saber hacerles frente —dijo el Alcalde.

—Nos vamos derechos a Osmilla. ¿Qué le parece, don Pedro?

—Sí, sí... —se despabiló.

El cielo estaba otra vez muy nublado, oscuro, pero había calmado el aire y no hacía frío. A la salida del callejón vieron a cuatro o cinco mozuelas ocultas bajo un soportal. Tenían las caras pícaras y se gastaban bromas. Sonaban, en medio del silencio, los gritillos de las mozas. Había empezado a llover de nuevo. Los gritos alegres le recordaban los que salían de los corros de mozuelos y gañanes al oscurecer; siempre las mismas picardías y pecados y cantares sobre el mismo tema de hombres y mujeres. Aunque todo tuviera corta duración y fuera de fácil mudanza, igual que los gritos de los pájaros que pasaban en bandadas, o que los aullidos salvajes de los lobos en la serranía, aquello sí parecía verdadero. Se distrajo, mirando a las mozas, desde la tartana.

—Le hemos dado buen disgusto a don Carlos —dijo Capote volviéndose desde el pescante—. El mejor escribano echa un borrón...

—Verá usted cómo lo arreglan. Todo tiene apaño en esta vida —dijo el Médico.

—Bueno... o los hijos de don Mariano se llaman ahora andana. Y dicen que eso es cosa del Juez.

—Ni hablar de eso —dijo don Blas—. No pueden dejar ahora a don Carlos Benítez en la estacada.

El Cura, no paraba de mirar a uno y a otro, con los ojos redondos, que iban a salirse de sus órbitas. Se tranquilizó, e hizo un esfuerzo para hablar más calmado.

—Pero... ¿qué es lo que pueden hacer si el Pastor está vivo? ¿Qué?

Callaron. Iban mirando las últimas calles, el campo, la carretera que conducía a Albacete. Llovía suavemente. Sonaba un rumor sobre el toldo de la tartana.

—Miren un auto nuevecito —señaló Capote—. Se ven ya muchos autos por la carretera.

—Sí. Y dicen que van a traer la luz eléctrica a Talmonte. Igual, mismamente que en las capitales grandes —afirmó el Alcalde.

—Acérqueme un saco que hay debajo del asiento. Voy a echármelo por la cabeza, sino me va a calar la lluvia que es un primor —dijo Capote.

El Cura mira el giro de las ruedas, que le recordaban las piedras de afilar.

14

Cayó otro aguacero. Luego, dejó un rato de llover. Don Pedro oía los gritos de los chicos que jugaban en la calle, en las escalerillas mismas de la iglesia. Bajó desde la vivienda, y cruzó la Sacristía y la nave solitaria del templo. Se asomó a la puerta sin ton ni son. Le miraron todos los chiquillos. Se tranquilizaron un tanto en sus juegos, y continuaron correteando, tímidamente, hablándose casi en voz baja. Pero el mayor de Marta echó a correr como alma que lleva el diablo. Fue el único chico que salió corriendo. Don Pedro y también los muchachos que quedaron en la escalerilla, lo vieron correr un buen trecho. Volvió la cabeza, cuando ya iba lejos. Tenía los ojos el hijo de Marta, como los de una res espantada.

—¿Por qué se va?

—No sé, señor Cura —contestaba un chico canijo, con pelos de hambre.

Entró don Pedro intranquilo. Estuvo un rato en lo oscuro de la iglesia. Ya oscurecía en el pueblo y se filtraba la luz muerta entre las vidrieras pintarrajeadas de azul y rojo, que había sobre el altar de la Virgen del Carmen. No ardía ninguna vela, pero persistía el olor dulzón de la cera. Llegaban, de nuevo más vivos, los gritos de los chicos y el rumor del pueblo. Muy lejos sonaba el golpeteo de una fragua. Todo seguía igual que siempre. Pero era una vida que él no había alcanzado a vivir. Sólo había ganado su tranquilidad. No podría estar seguro, ni tener certidumbre de nada, hasta que no palpase con sus manos al pastor. Y supiese qué hombre de carne y hueso había escrito aquella carta, qué rostro, ojos, manos y cuerpo tenía, allí mismo, a cinco horas a lomo de bestia con buena andadura.

Fue dándole vueltas en el magín a aquellas cosas y a su mismo miedo, como decidió que iría a Serrijón a buscar al Pastor. Saldría de madrugada, sin pedirle parecer a nadie. A veces, pensaba que llegaría tarde, y que se pasaría el resto de su vida con aquella misma incertidumbre. Tenía miedo a llegar muy tarde, y más aún a tirarse así los años que le restaran de penar, notando que todo se iba a humo de pajas o se pudría sin provecho. Cuando tomó la decisión se sintió más tranquilo. Se acostó, y sólo ansiaba que pasaran las horas, las campanadas del reloj de la torre, una tras otra. Se despertaba. Quedaba un rato inmóvil en la cama, con los ojos abiertos taladrando la oscuridad. Esperaba que sonara el reloj de la torre, y volvía a dormirse un rato, quizá únicamente un minuto. Y de nuevo a aguardar la hora. Le invadió un desasosiego, a la amanecida. Sentía escalofríos por la espalda. Igual que cuando emprendió el largo viaje hasta Talmonte. Todavía era mozo. El tren silbaba a través de campos desconocidos sin término, y cruzaba estaciones solitarias con la luz mortecina de un farolillo y pueblos insospechados como quietos y reflejados en un espejo.

La vida anterior la sentía a su lado como muerta. Muchas veces miró todas las cosas que había en el cuarto: la cómoda, el balcón, el palanganero, también como si estuvieran muertas y reflejadas en lo hondo de un espejo. Necesitaba coger las cosas con la mano, coger por los pelos al pastor que había escrito la carta.

Se levantó y le alegró ver que amanecía más claro el día, y que entre filas de nubes salía el sol. Calzó unas botas de media caña, y se dejó remangados unas cuantas vueltas los pantalones. Se abrochó el abrigo por encima de la sotana. No se había afeitado desde anteayer. Se pasó la mano por la cara, sin preocuparse de más. No era época de labor y no se había levantado ningún vecino. Llegado a la costanilla, se cruzó con un lechero que iba a caballo, un caballo que llevaba dos cántaras, una a cada lado del serón.

Llegó a casa del tío Ramón, el primo de la tía Casilda. Llamó con resolución a la puerta, pero tardaban en abrirle, y volvió a golpear con los nudillos. Se dio cuenta de que los golpes habían despertado también a los vecinos de enfrente. Le miraron desde la casa de enfrente, y, quien quiera que fuera, volvió a ocultarse. Ramón tardó un rato en abrirle la puerta, y cuando asomó traía los ojos de sueño. Estaba a medio vestir.

—¿Qué le trae tan pronto, señor Cura?

—¿Te hace falta la mula en estos días?

—No —dijo extrañado—. Ya sabe usté que ahora no hay labor en el campo.

—Quiero que la aparejes y me la prestes. Tengo que irme. Te pagaré lo que sea justo.

—¿Tiene que irse tan temprano?

Le oyó desperezarse y hablar en voz baja con su mujer: «Es el Cura, don Pedro, que dice que tiene que irse». Y luego, le oyó trajinar dentro de la cuadra. Se sentó él a esperar, mientras tanto, en un tranquillo que había a la entrada de la cocina. Le oía decir cosas —sobre todo blasfemias— a la mula, entre dientes. Pero ni reparaba mucho en ello. Estaba deseando sentir en las piernas el sudor de la mula. Quería hacerla trotar camino de Serrijón, y buscar al Pepillo por donde fuese menester. Tenía que coger por los pelos al Pastor, y saber toda la verdad, antes de que se escapara de sus manos para siempre. Sentía al tío Ramón aparejando la mula; y entró despacio en la cuadra. Fue a sujetar la mula del ronzal.

—Deje usté, don Pedro. Deje usté —le apartó Ramón, medio empujándole—. ¿Y tiene que ir muy retirao?

—A Serrijón.

—¿Sí?

Se montó con dificultad. Con la mula al paso salió del pueblo por una senda como tirada a cordel, que atravesaba el yermo. Era un camino de tierra yesosa, mojada, virgen de pisadas, donde se pegaban las herraduras. El sol estaba bajo y le daba de refilón en la espalda. Lanzaba hasta lejos la sombra de la caballería, por toda la senda, sin caer apenas la sombra en el suelo. Algún charco hacía brillos. Oía piar a los pájaros, y ya barruntaba la primavera. Se sentía más seguro oteando el campo desde lo alto de la mula, entre el olor del tomillo y la jara.

A media mañana escuchó en un altozano las esquilas de un rebaño. Iban mezcladas ovejas y cabras. Algunas todavía comían entre los matojos, pero la mayor parte de los animales se habían agrupado a sestear.

Arreó a la mula, fuera de la senda, a campo a través, para salir al encuentro del hombre que guardaba el rebaño.

Un perro negro se vino ladrando, y se pegó a los cascos de la mula. Resoplaba inquieta la bestia, haciendo extraños. No lograba el Cura enderezarla.

—Perro.

Vio al hombre. Era joven y estaba sentado en una roca. Tenía abiertas las piernas y la cayada derechamente hincada en la tierra. Apoyaba el pastor las manos y la barbilla en la curva de la cayada. Llevaba una manta echada por la espalda, y parecía dormido, aunque debió despertarse de golpe.

—Ave María —dijo. Se le escurrió la manta hacia atrás, mientras se ponía de pie. Miraba al Cura con los ojos de susto, medio adormilados—. ¿Se le antoja algo?

—¿Eres de Serrijón?

—De Guardaserrijón, un pueblo que hay más para allá.

¿Se le antoja algo, señor Cura? —dijo. Amenazó al perro con la cayada, para que se calmase.

—¿Conoces a un pastor que para en Navalalta o en Serrijón, uno que se llama José Huete...? Tiene familia en Osmilla, y de joven le llamaban Pepillo.

Miraba el hombre a lo alto, y decía que no, negaba moviendo muchas veces la cabeza.

—Conozco a casi tós. Pero a éste que usté dice, no. Si lo viera en persona seguro que no se me despintaba.

No recordaba cómo era Pepillo, ni menos, después de más de quince años, podía imaginarse al Pastor. No podía darle señas a aquel hombre que tenía enfrente.

—¿Hay mucho camino a Navalalta?

—Si tira usté por aquel atajo, pegao a aquellas encinas —señaló— está usté en el caserío dentro de dos horas. Es un caserío pegao a Serrijón.

—Con Dios.

—Con Dios, señor Cura.

Sentía detrás de la mula al perrillo negro, que ladraba contenidamente o gruñía. Arreó el Cura a la mula, hasta ponerla al trote. Corría. Más allá surgía el encinar: primero cinco o seis chaparros y encinas bajas, desperdigadas. Caía el terreno un poco en alto. Se veía el campo abierto hasta muy lejos. Sopló un rato el aire fresco. Se había nublado por un momento, aunque se veían claros. Sentía sudar a la mula. La mula volvió a coger el paso y resoplaba cansinamente, como si se quejara. Era un suelo pegajosos el de la vereda, y sonaban los cascos chapoteando en el barro. Era mejor salirse del camino. Pero mirar con el rabillo del ojo, para no perderse.

Fue encorvado y yerto en el lomo de la caballería, mirando de vez en cuando al camino, para no apartarse demasiado. El claro encinar parecía que no fuera a terminar nunca. Pasaba la mula entre dos encinas algo más juntas, de ramas casi horizontales y troncos nudosos, cuando vio, muy lejos, cruzando a campo través, una pareja de guardias civiles a caballo. Iban los guardias por una senda, oblicuamente y casi de espaldas al camino. Seguro que no podían haber visto al Cura, todavía. Temió encontrarse con ellos, y temió sobre todo tener que hablarles y contar alguna mentira si le preguntaban a boca de jarro sobre su viaje. Acortó un poco el paso de la bestia. De pronto sintió miedo. Tiró de las riendas de la mula, y la detuvo.

Igual era que habían ido ya los guardias a aclarar lo de Pepillo porque lo hubieran ordenado de parte de don Carlos Benítez o de los Macías, justo los que menos interés tendrían en aclararlo. Le dio un escalofrío, volcado como estaba hacia adelante en lo alto de la mula y sintiendo el aire en la espalda. Estaba frío el sudor del animal. Echó pie a tierra. Aguardó un rato detrás del árbol, tocando el tronco. Le latía todo el pecho, y sentía el temblor de sus manos sobre la corteza rugosa y mojada del árbol. Aunque estaba en medio del campo, a horas de camino de cualquier cortijada o caserío, se volvió, como temeroso de que le observara alguien. Se quedó un largo rato escondido, ocultos —él y la mula— detrás de la encina. Y le parecía que se hubiera pasado huyendo de la justicia toda la vida, como un tipo, medio gitano, a quien había confesado una vez en Osmilla. Le vino el recuerdo de aquel hombre: cetrino, con berrugones en la cara, y un pañuelo anudado al cuello: «Pareló a uno su madre, sin ventura», había dicho el gitano. Lloraba aunque había hecho un par de muertes. «Cuando uno nace cuchillo, tie que cortar.» Recordaba las palabras últimas del gitano, antes que lo prendieran. Y siempre el mismo comentario de don Eladio, de doña Flor y del Alcalde, igual al de los fariseos, pero sin darse cuenta tampoco de su culpa propia, como si sólo pensaran con las posaderas de su tranquilidad, que no con la cabeza. Pero a él sería al primero que Jesucristo hubiese arrojado a latigazos del templo. Así lo pensó, agarrado a la encina. Desaparecieron, lejos, los guardias civiles.

Llegó a Navalalta cuando caía la tarde. Solamente había comido pan y un trozo de queso; y se sentía cansado y con hambre. Navalalta era un caserío que había delante del pueblo de Serrijón. Empezaba aquí la tierra quebrada y terminaba el monte bajo. Cerca del caserío pasaba un arroyo medio seco, con piedras rodadas, que parecía un camino a medio construir. Todas las casas y tapiales tenían el color de la tierra. A la orilla del arroyo crecían algunos eucaliptus poco frondosos. Las pequeñas parcelas que se extendían al lado del caserío estaban plantadas de maíz y hortalizas, y divididas por tapiales de lajas pizarrosas. Había montones regulares de lajas pizarrosas, formando filas rectas.

Pegada al arroyo se alzaba una casa y un redil vacío, con cerca de madera sin labrar. Un viejo trenzaba pleita, esparto, apoyado al muro de la casilla. Se asomó también una mujer entrada en años, con el pañolón negro a la cabeza, arrugada. No paraban de mirar al Cura.

—¿Conocen ustedes a un pastor que se llama José Huete? —se inclinó desde el lomo de la mula. Estaba sudoroso, y le costaba trabajo hablar.

—A los pastores los conocemos a casi tós por el nombraje. Vaya usté a ver al Peatón o al Administrador de los Macías a Serrijón.

—Es uno que tendrá ahora cuarenta y pico de años. ¿No saben de alguno que vaya a casar con alguna mujer de por aquí…? El que yo digo quería una fe de Bautismo.

—Usté no es el cura nuevo de Serrijón, ¿verdad? —preguntó la mujer.

—No.

—¡Ah! —hizo un gesto, medio incrédula, mientras seguía escudriñando los gestos, el porte y la actitud del Cura—. Es que una servidora creía…

—El hombre que le digo, pedía que mandaran la fe de Bautismo a las señas de un tal Fernando Rivera.

—Ese señor es el Administrador —aclaró la mujer.

—Mucho hablas —dijo el viejo. Había interrumpido su trabajo de trenzar la pleita. Soltó la cuerda en el suelo. Tenía los brazos flojos, colgando. Tartamudeó mirando a la mujer—. Nosotros no podemos contar ná, Riánsares.

—¿Qué?

—Ya lo sabes —insistió.

—Yo no quiero traerles perjuicio —dijo el Cura.

Se calló, y notó que desde este momento la mujer le huía la mirada. Apenas quedaba luz diurna. Iba a oscurecer en seguida. Don Pedro volvió los ojos hacia las casas del lugar, desperdigadas al otro lado de la nava, amoratadas por la atardecida.

—¿Dónde podrían darme posada? Sólo es por esta noche. Seguiré para la Sierra de madrugada.

El viejo se encogió de hombros cuando le miró la mujer. Se encogió de hombros y se entró, despacio, a la casa. Seguía el Cura esperando, en lo alto de la mula.

Se pasó un rato sin decidirse a bajar.

—¿Si quiere quedarse aquí? Podría ponerle un colchón, señor Cura —dijo la mujer, con timidez.

Se apeó trabajosamente de la caballería. Estiró el cuerpo dolorido y las piernas. Notaba el miedo de la mujer.

—No hay cuadra, pero puede guardar la mula ahí, en la paridera —señaló a un corral con tapias de lajas de piedra pizarrosa, que tenía una casucha al lado con techo de tejas curvas oscuras y ennegrecidas. No se apartaba la mujer. Le acompañó hasta la parte trasera de la edificación.

—Por la Sierra anda un pastor que creo iba a casar con una moza de Serrijón —murmuró, casi al oído de don Pedro—. No diga nada.

—¿Y sabe cómo se llama?

—Por aquí le nombran Juancho. Vinieron esta misma mañana a buscarle dos hombres que no eran del pueblo, dos forasteros. Pero Juancho salió hace dos días con el rebaño.

—¿Y a dónde iba el pastor?

—A la Sierra ¡Vaya usté a saber por dónde andará! —se cortó—. ¿Es que ha hecho algún mal?

—No.

Siguieron parados, pegados al tapial de la paridera, ya casi sin distinguirse los rostros. Él esperando a que la mujer hablara. Notaba el miedo, casi el temblor de la boca de la mujer vieja. Oscurecía como de un golpe. Se oía el murmullo y los mil ruidos del campo.

—¿Sabe si fueron esos hombres a buscarle? ¿Qué querían del pastor?

—No sé nada. Me preguntaron que por qué lado de la Sierra había ido Juancho. Pero yo no quise decírselo —casi no se oía su voz.

—¿Por qué lado fue?

—Para poniente, por la vereda baja.

En un puchero había hervido la leche, sobre un rescoldo de leña. A la puerta de la choza, en cuclillas, migaba el pan. También le echó un chorreón de aceite de oliva. Se puso a comer de prisa, a cucharadas grandes. Ya amanecía detrás del Cabezo. Siguió comiendo, de pie. Y le echó un trozo de pan al perro. Luego, le azuzó para que reuniera el rebaño. Eran cabras, casi todas de pelo brillante y largo. El perro acosaba a los machos.

—¡Tuto! ¡Au! —gritaba—. ¡Macho!

Tiró, ladeando el cerro por su mitad, más abajo de por donde iba la vereda alta. Eran piedras sueltas, que rodaban a cada paso. Pero conocía el camino, de tantas veces como lo había pisado. A veces, rodaban las piedras ladera abajo, y hasta podían llegar al arroyuelo. Sabía que todavía tenía que llover muchos días. Y que estaba un poco temprana la estación para adentrarse tanto en la Sierra.

—¡Astuto!

Lo malo era si los arroyos venían crecidos y había tierras arriadas, y se desprendía el suelo por las laderas pinas. Mas, no tardando, tendrían el tiempo bueno. Desde que le había entregado la carta al peatón del pueblo, tenía otra vez miedo. La víspera de San José compró un manguillero y una plumilla de «la corona», y un frasco lleno de tinta negra. Se pasó esa noche más de dos horas pintando letras a la luz de la vela. Casi no se acordaba de escribir. Escribió porque le había convencido la Dora, de que debían casarse. Él quería tomarla por mujer. Pero, sobre todo, escribió porque sabía desde hacía más de seis meses —por un recado que le escribió su hermanita Marta— que Padre había muerto. Ya no tenía miedo de su padre. Eso creyó. Ahora iba otra vez escondiéndose con las cabras Sierra a lo hondo, igual que cuando se vino de Osmilla. Ya apenas si se acordaba de Osmilla.

Se olvidaba algunos días del miedo, cuando andaba por las breñas, conduciendo al rebaño de cabras. Cogía una piedra y tiraba a sobaquillo; y otra piedra, hasta que conseguía que se agrupara el rebaño. Se iba a otra loma buscando el pasto. Nadie sabía su nombre verdadero, salvo puede que el Administrador. Aunque el Administrador nada le dijo nunca. Lo cierto es que Pepillo tuvo menos miedo desde que Marta le avisó de que había muerto Padre. Le habrían puesto muerto en el suelo en la habitación que daba al corral, sobre una manta. A lo mejor entre dos velones o rodeado de jícaras con lamparillas flotando sobre un chorreón de aceite.

Dora nada sabía, ni nadie. Pero él era ya cuarentón y la Dora se despegaba de él, cuando estaba a medias, cuando retozaban en la alameda. Se pegaba a la moza, como un caracol a una hoja verde. No se calmaba. Y había escrito la carta al señor Cura de Osmilla, para que el Cura le enviara la fe de Bautismo al Administrador. No podía quitarse el miedo ahora de encima. Ladeó, ascendiendo por el cerro, sin dejar que se detuvieran las cabras. Tiraba piedras, y azuzaba al perro. La Sierra estaba más oscura. Por lo alto las nubes rozaban los picachos. Le resonaba por dentro el miedo, como resonaba el arroyo. Estaba solo, y tenía que pensar, otra vez, en la Dora la de Serrijón, recordando cuando él buscaba con las manos debajo del sayal, la carne fina y fría como una piel de cabritilla.

Mientras pacía el rebaño se tendía el Pastor en el suelo, boca abajo, buscando la laja de piedra más seca y lisa, echando la saliva en la manta, medio adormilado y sintiendo el calor de la manta en el vientre y en el sexo. Sudaba, como se cubren de sudor y hasta de espuma un mulo agotado por la carga y el trabajo. Se pasaba así, muchas horas, tumbado en el suelo, igual que un muerto. Ya apenas si se acordaba por qué huía desde Osmilla. Sólo sabía que le iba en ello la vida. Se lo había escrito su padre, cuando estaba vivo. Y tenía presente la forma de ser que tenía su padre: derecho, agarrotado empuñando el arado, pensando sólo en quedar bien ante el Amo. Porque el Amo era la segura pitanza. Pensando solo Padre, en terminar toda la labor del campo, y en que no hubiera una mala piedra ni una hierba mala en el sembrado. Se acordaba Pepillo de Osmilla, de Braulio, de Crisanto, como si todo fuera un mal sueño. Y sabía que si los volviera a encontrar —hasta si veía a su hermana Marta, que ya tenía hijos— miraría a todos como si fueran extraños, y desearía en sus adentros volver al pastoreo, entre los riscos, mirando a las nubes; o, mejor, desearía retornar con Dora en el manantial, buscándole la carne que parecía piel de cabritilla, pellizcándole los muslos fríos. Todos eran extraños, y solamente cuando tenía miedo recordaba a su padre muerto y a Marta y a los demás. Se sentía mordido por todos aquellos recuerdos —caras iguales, borrosas, de personas— mordido como una lombriz a la boca de un hormiguero.

Se levantó, y siguió ladeando el otro monte, pisando las piedras que rodaban pendiente abajo. Había llegado a un pequeño valle. Se le hundían las botas en las charcas escondidas bajo los hierbajos. Pasaban regatos de agua oscura, colorada o con vetas, igual que la tierra. Buscó con la vista la choza abandonada desde hacía un par de años. Era un chozo de menos altura que un hombre. Se puso a cortar retamas, para cubrir el techo, encajando unas ramas con otras, igual que se hace con las tejas. Colocó el círculo de piedras. Sacó de las alforjas unas pellizas curtidas, de piel de oveja. Con la lana hacia afuera, las extendió sobre unas lajas que empedraban el interior de la choza. Quedaba sólo un trozo de tierra libre en el centro, donde se encendía el fuego.

—Si no conoce la Sierra no le va a ser fácil toparse con él. Y mi hombre está ya muy viejo para esos andurriales.

Le costó trabajo aparejar la mula, él solo. Luego, se montó, sin ayuda ninguna. La vieja se acercó, sin darle importancia.

—Es el camino alto —señaló con el dedo—. El camino llega hasta una cortijada que llaman el Tomillar, y que está al otro lado de la Sierra.

—¿Hace muchos años que pastorea ese Juancho por este terreno? —preguntó el Cura.

—Muchos hace. Sólo se le ve en Navalalta y en Serrijón en los inviernos.

—¿Habrán descubierto esos hombres que le buscaban el lado por el que ha ido el Pastor?

—No sé. Yo nada les dije, pero puede que se lo dijeran en Serrijón, si es que alguien lo sabía.

Soltó don Pedro las riendas y dejó que la mula anduviera al paso. Iba vereda arriba. El chapoteo de los cascos en el suelo mojado, le hacía sentir como una mayor realidad. Soplaba el aire y despeinaba las retamas. Se formó como un remolino sobre las retamas altas. Con las rachas de viento sobre el bosque se oía un ruido a bocanadas, como si estuviera cerca el río. A eso de media legua había una bifurcación. Detuvo el paso de la mula, y enfiló por el camino más intrincado, por donde el terreno aparecía cubierto por el chirle de los rebaños. Se perdía la senda entre tomillares, retamas y breñas. La bestia iba como tanteando el terreno, tanteándolo con los cascos y el aliento.

Todavía hacía frío, y se condensaba el vaho caliente de la mula. La niebla lechosa rastreaba el paisaje, desde lo hondo de la vaguada, hasta mitad de la lomita. Por un momento, le pareció que sonaran los cascos de otra caballería, en lo hondo. Tiró de las riendas, y se quedó un instante con el oído en tensión, escuchando el rumor del campo. Debió de ser el eco lo que había oído antes. Tenía ganas de encontrarse con algún rebaño, aunque no fuera el de Pepillo. Apenas recordaba la cara de Pepillo, por más que se esforzara, si acaso algo así como un borrón deshecho en una pared encalada. Temía que no fuera Pepillo, o que lo negara el pastor, o que no pudiera reconocerlo nunca, o ni siquiera tropezarse con quien fuera en aquellas soledades del monte. Parecía como si todo se lo hubiera tragado el campo, se hubiera deshecho entre los estertores del aire. Se preguntaba, y no encontraba respuesta. Debió de ser que alguna vez Pepillo escribió, y que su padre le contestó que no debía volver nunca más a Osmilla, y que ni siquiera José Huete podía usar su verdadero nombre. Quizá entonces estaba ya de pastor en los pastizales de don Mariano Macías. Tal vez le contaron que Braulio y Crisanto estaban cumpliendo cárcel porque José Huete —a él mismo— le habían dado por muerto. «El buey solo, bien se lame», —diría el Pastor—. «Yo no tengo a nadie en el mundo». Lo malo sería sentirse en aquella soledad, en las parameras, viendo pasar las bandadas de pájaros gritando, y mirando planear el águila o a los gavilanes; a los gavilanes con la vista clavada en todo lo que se movía y tenía vida y se arrastraba pegado a la tierra, entre las plantas silvestres. Lo malo sería sentirse clavado de pies y manos en el campo, y si poder huir de allí.

Olía muy fuerte el tomillo, y, más adelante, olía como a humo, como si hubiese ardido algún trozo de monte. Pero no encontró el Cura el menor rastro, ni cenizas. Ya no había senda, o la había perdido definitivamente. Se bajó de la mula, y la obligó a tirar, cuesta abajo, hacia la vaguada. Rodaban las piedras detrás, golpeando los cascos y las patas de la caballería, que resoplaba inquieta. También le golpeaban a él las piedras en los pies y en los tobillos. Las oía rodar, detrás y delante suyo. Estaba muy cansado. Le parecía que no fuese a llegar nunca a lo hondo. Miraba al monte, que se hacía más espeso cada vez, y tenía miedo de perderse, de no encontrar, luego, el camino para regresar.

15

Cuando salió de Osmilla llevaba encima los ciento sesenta reales producto de la venta de las ovejas de su propiedad que había en el rebaño. Anduvo gastándolos despreocupadamente por los pueblos de la provincia, yendo de aquí para allá, por las ferias y corridas de toros, donde incluso iba algún torero con traje de luces alquilado; un mozuelo que salía pálido a la polvorienta plaza rodeada de carros formando barrera. Fue bueno aquel verano. Se ponía Pepillo a recordarlo, con los ojos opacos, sin mirar a nada, mientras oía alrededor suyo las esquilas de las cabras. El día que se le terminaron los dineros se colocó otra vez de pastor. Pasó más de un año sin escribirle siquiera a su padre. No quería recordar. Lo que sabía claramente era que su padre había servido siempre a los Macías. Nunca le dijo nada claro el Administrador de don Mariano, o quizá, sí. Cuando le miraba en la invernada, y le entregaba el jornal «Juancho» «Juancho». Bastaba con que le mirara el Administrador.

Desde hacía muchos años se pasaba Pepillo pastoreando por la Sierra, solo sin bajar a ningún caserío, salvo los meses más crudos del invierno. Cuando se encontraba con otro pastor, se saludaban de lejos, levantando las manos. A veces, se sentaban a la sombra de algún matojo, y liaban un cigarro. Tenía miedo de hablar, pero solía decir:

—Yo, de buena gana que un verano me iba por toas las ferias de la provincia, para ver torear.

—¡Buen año sería!... ¡No irías arrastrando esa punta de cabras! —se reía el otro.

Callaban. Entonces se ponía a recordar aquellos días: las plazas de los pueblos rodeadas de carros donde se encaramaba el mocerío dando gritos, y donde rompía el silencio y el ahogo cuando se cuadraba el toro, y el torero jadeando enfrente con la taleguilla manchada de sangre negra. Y las mozas que estaban en las filas delanteras, sentadas más abajo, perdían el habla, o reían en las faenas malas, mientras los hombres de atrás les buscaban los costados con las rodillas, atenazándolas en los descuidos entre las dos piernas, por debajo de los brazos con el olor a la pez de los pellejos de vino. Se ponía a recordar —los ojos sin mirar a nada— y se pasaba un buen rato mordiendo un tallo de retama.

Todos los otoños procuraba regresar de los últimos a Serrijón, al pueblo. Ni el Administrador, ni nadie, le encontraba tacha a que se retrasara tanto. Acaso era el mismo Administrador quien se lo había dicho en los primeros años. Pero todo va olvidándose luego, con el paso del tiempo. Veían transcurrir allí, donde empezaban la llanada, los meses de invierno. Pastoreaban en las cercanías, y volvían al oscurecer, con los rebaños.

Hasta el último invierno no le dio a Pepillo la ventolera de casarse. Conocía a aquella moza ya talluda, la conocía de haberse tropezado con ella un par de veces en el pueblo. Ella iba con la cántara de barro colorado a la cadera, camino del manantial, igual que hacían las mujeres en Osmilla. Y el Pastor sabía que la llamaban Dora. Tan pronto recogía Pepillo el ganado, salía a todo correr, con la cayada en la mano. Se metía en el pueblo, ya de oscurecida. Buscaba a Dora. La seguía en silencio por la vereda que iba al manantial. Había que cruzar el riachuelo por un puente de troncos sin desbastar, y, al otro lado, entre unas peñas, salía un chorrito de agua, como un dedo. Se paraba Pepillo a mirar a la moza, calladamente, sin rechistar. Y ella también estaba atenta, mientras se llenaba su cántara, torciendo el rabillo del ojo, como si no se diera cuenta de la presencia del hombre. Parpadeaban los candiles por todo el pueblo, y hasta se veían, a lo lejos, los de las casas de Navalalta.

Un día se acercó a la mujer, sin que mediaran palabras. No había un alma, y ya cerraba la noche. Le tocó las caderas con las manos torpes y temblonas.

—Quita, pastor.

—Tú también andas desparejá, sin hombre —dijo él—. Si quieres te acompaño hasta el pueblo, ya hace muy oscuro.

Dora calló. Muchas noches volvían juntos, caminando despacio entre las piedras, sin prisa ninguna, a pesar del frío. Apenas hablaban. Si acaso arrimaba Pepillo su hombro al de la moza, y seguían así un buen trecho. Cuando tomaron confianza dejaba Dora el cantarillo en el suelo, entre las hojas caídas. Ponía una cara pícara, y se escondía bajo los eucaliptos que había más allá del puente de troncos. Buscaban un sitio donde las hojas estuvieran más secas, y se tendían en el suelo. Dora insistía en que habían de casarse.

—¿Qué?

—Sí, pastor; que mi madre siempre contaba que no se pescan truchas con las bragas enjutas —se ponía seria, mohina, medio tiritando de frío, estirándose las faldas sobre las rodillas, y sin decidirse a ponerse en pie, a marcharse al pueblo.

Pepillo pensó que su padre ya estaba muerto. Por eso compró un sobre y papel rayado y una plumilla con manguillero. Se metió con un candil en una corraliza de Navalalta, y se pasó dos horas escribiendo al Cura de Osmilla. Casi nada más darle la carta al peatón, se arrepintió de haber escrito. Pensó en salir corriendo, para quitarle la carta al hombre, pero le quemaban las orejas de vergüenza.

De noche, se despertaba sobresaltado en la cama, igual que cuando se escondía en la Sierra en los primeros años, después de marcharse de casa de su padre. Se acordaba de la última paliza que le había dado Padre, con una vara de fresno. Recordó a su padre rabioso echando saliva por la boca, persiguiéndole por las cámaras, mientras él —tendría entonces a lo sumo trece años— temblaba, gritaba y corría indeciso de un lado a otro, con las manos sujetándose los pantalones.

El miedo no le dejaba descanso. Sobre todo le daba miedo acercarse al Administrador, para decirle que si llegaban unos papeles a nombre de José Huete, eran para él, para Juancho. Tampoco hablaba de nada con Dora. Se pasó dos días sin ir a buscarla al manantial. Aunque sabía que ella se quedaría hasta muy tarde esperándole, tiritando de frío, con la cántara a los pies, mirando a lo oscuro y a las estrellas, que asomaban fijamente encima de los picachos de la Sierra.

El Pastor se quedaba escondido en Navalalta, en las casuchas que había junto a los corrales y parideras. Temía que alguien fuera a buscarle. Sería mil veces peor que a los que cogían robando ganado, y peor que los que robaban aceituna. Sería como aquel hombre esposado que había visto conducido por la guardia civil. Lo vio pasar —siendo Pepillo chico lo había visto— entre dos guardias. «Lo llevan hasta el sitio donde pasa el tren o la posta» —dijo el labrador—. «Se lo van paseando de pareja a pareja, y el muy desgraciado lleva reventados los pies». Se acordaba que fueron un grupo de chicos, detrás, hasta el hito del camino carretero. Sería peor aún si le cogían a él.

Una mañana amaneció más claro el cielo. Parecía que fuera a terminar el mal tiempo. Se había retirado el cierzo y soplaba viento del Mediodía. Vio pasar una bandada de patos. Había sacado Pepillo las ovejas. Azuzó a los perros, para que llevaran el rebaño hacia la vereda de la Sierra. Pensó que se adentraría monte adelante, y que, luego, seguiría pastoreando por allí, sin volver al pueblo. No lo pensó más.

—¡Astuto! ¡Anchu! —le daba alegría ver obedecer a los perros, y ver la fila de cabras arrastrando el ruido de las esquilas.

No se encontró a nadie en varios días. Fue de choza en choza, hoy aquí y mañana en la choza de la Pantera Negra, o en la de la Cuesta de la Madera, o en la del Chorrito. Perdía la cuenta del tiempo transcurrido. Dormía sobre las pellizas curtidas, que extendía sobre las lajas de piedra del interior de la choza, y dejaba un rescoldo encendido en el hueco que había a los pies. El humo salía por las rendijas que dejaban en la parte alta las retamas del techo. Durante la noche sentía a su lado a los perros. Pasaban de largo, de un lado a otro, y notaba sus pezuñas leves y la aspereza de la lengua en la cara o las manos. Pasaban y le lamían la espalda o la cara.

Una mañana le despertaron los ladridos. Vio que los perros corrían monte arriba, ladrando sin parar. Los vio por un hueco de la puerta, aunque se quedó quieto, como muerto, sin mover ni un dedo. Siguió acostado en la semioscuridad, oyendo los ladridos que se alejaban monte arriba, o como si los mismos ladridos le corrieran por la sangre de los brazos y las piernas. Tenía brazos y piernas quietos y casi pegados a la tierra, como los de un paralítico. Se asomó con miedo a la puerta de la choza, medio arrastrándose; y vio al Cura montado en la mula. La bestia se iba de costado, casi espantada, y quería encabritarse, rodeada de los perros ladradores, que la acosaban como fieras.

—¡Astuto! ¡Anchu! —gritó— ¡Astuto! ¡Anchu!

Se volvían los perros corriendo, rabo entre piernas. La mula venía detrás. El Cura estaba sudoroso y vencido hacia adelante. Parecía como sin fuerzas para hablar, pero miraba al pastor, sin despegarle los ojos de encima, interrogante.

—A la paz de Dios, señor Cura.

—¿Tú eres Pepillo, José Huete el que vivió en Osmilla? —preguntó jadeando.

Se quedó otra vez inmóvil, igual que cuando estaba tendido en la choza, sintiendo a los perros y los latidos de las sienes, oyéndoles igual que si le fueran llenando poco a poco por dentro. No atinaba a hablar.

—¿Qué?

—José Huete, de Osmilla.

—...

—José Huete.

—¿Qué quiere? —murmuró—. Aquí me llaman Juancho —la voz no le salía del cuello. Estaba encogido y tartamudeaba.

Se bajó don Pedro de la mula, y se fue acercando despacio. Los perros gruñían. Arrastraban la boca, la baba chorreando por el suelo. El pastor estaba arrugado, apoyándose en la cayada. Tenía bajos los ojos, como buscando algo caído en la tierra.

Notó el Pastor que le tocaba el pecho, sobre la ropa, con las yemas de los dedos, tímidamente. Se hizo dos pasos hacia atrás, temblando, más encogido aún, y sin levantar la vista.

—¿Habías pedido una fe de Bautismo, para poder casarte?

—Sí —se cortó sin mirarle, y siguió retrocediendo con miedo—. Sí, señor Cura.

Don Pedro le tocó el pecho, con las dos manos, con las palmas abiertas. Le puso las manos sobre los hombros.

—¿Sabes que en el pueblo te tenían por muerto?

Siguió Pepillo retrocediendo sobre los talones. Alzó la cabeza, aunque sin ver, con los ojos vidriosos y opacos como un ciego.

—Yo no sabía ná.

Se le nublaba la cabeza, y sentía como un fogonazo dentro de los ojos, cuando escuchaba la voz del Cura: «Sabes que en el pueblo te tenían por muerto». «Te tenían por muerto». Oía la voz del Cura por la memoria. Le perseguía como la voz de su padre por las calles de Osmilla, por el campo enfangado con brillos y chapoteos de agua, o como cuando le obligaban a entrar en Misa Mayor entre el sofoco del incienso, sin poderse mover, arrimado al travesaño del banco de madera. Era después de morir su madre. Miraba Pepillo a la gente de la iglesia, con el rabillo del ojo, y a la coronilla afeitada y lisa del Cura. Reculaba de chico, como una caballería asustada. También tuvo miedo durante el año único y no completo en el que fue a la escuela. Cantaba los números en la fila, quieto, esperando a cada instante que el maestro le pegara con la palmeta en la punta de los dedos. «Por torpe». «Por cabezón», le decía. Tenía el maestro el gesto descarado, como el Cura y todos los ricos. Le perseguía la voz del Cura por la memoria, por el pueblo, por el cuartel donde había ido a servir al Rey trotando día tras día en la explanada de instrucción. «Ni saben cuál es su mano derecha», decía el Sargento. «Póngale higos secos en la mano derecha, y diga: ¡Media vuelta a higos! Verá como sí saben», se reían de él. Recelaba siempre Pepillo como una bestia asustada.

—Yo no sabía ná.

—¿Por qué no le escribiste a tu hermana? ¿Te dijeron que murió tu padre ogaño?

—No, señor Cura.

Los perros arrastraban el hocico y la hebra de baba por el suelo. Y Pepillo se agachó para acariciarles, distraídamente, la cabeza y el lomo.

—No sé.

—¿Sabías que están pagando con la cárcel por tu muerte el Braulio y Crisanto?

—No, señor Cura.

Arrugó más el ceño; y miró a los perros que se habían puesto a ladrar, que correteaban hacia el alto y volvían.

—Viene alguien, además de usté —tartamudeó—. ¿No

irán a hacerme ná por haber pedido esos papeles pa poder casarme?

Don Pedro miró también hacia la loma. Pasaron un rato mirando, sin ver ni a un alma. Mientras escuchaba Pepillo mantenía la cabeza alta y abiertas las aletas de la nariz. Luego, fue estirando los labios carnosos. Soltó una risotada, medio conteniéndose, explotándole dentro.

—No. ¡Son las hurracas! —dijo, señalando—. Allá arribota.

Los ojos vidriosos del Pastor perseguían el vuelo de las hurracas. Temblaba de risa, y se le removía la cabeza. Dos pájaros negros y blancos agitaron las largas colas, y saltaron al vacío. Cayeron desde lo alto, como dos flechas.

—Tienes que venir a Osmilla a deshacer toda esa historia de tu muerte a manos de Braulio y de Crisanto.

—Sí, señor. Pero no me harán a mí ná, ¿verdá, señor Cura? Tengo miedo a que algo me hagan.

—¿Quién te va hacer mal?

—No sé —bajó los ojos otra vez.

Se subió el Cura, de nuevo, a la caballería. Iba Pepillo a su lado, y apretaba el paso, clavando el cayado en el suelo, para ayudarse.

—Un servidor no quiere que le metan en un lío. A uno en esta vida le ha tocao hacer lo que le mandan —parecía sonreir otra vez, con los labios gordos, estirados.

La mula iba al paso y el pastor a su lado, echando carreras para alcanzar la andadura de la bestia. Se detenían a ratos, para aguardar al rebaño, conducido por los perros. Pasaban un poco sin dirigirse la palabra, escuchando el ruido del aire, que soplaba a bocanadas. Pepillo, alzando un segundo los ojos, miraba con disimulo al Cura. Tenía miedo, aunque a ratos se animaba solo, y daba golpes en el suelo con la cayada, nervioso. Se ponía a pensar en su llegada a Osmilla con el rebaño. Todo el mundo se fijaría en él. Tenía miedo y le corría un hormiguillo de escalofríos por la sangre.

Mirando al campo se le iba el santo al Cielo. Tiraba de las riendas a cada trecho, para esperar al rebaño. Tenía allí al Pastor, vivo, y trataba de entender el miedo que le había mantenido oculto durante tanto tiempo. Le parecía que todo seguía lo mismo, y que aquella situación podía tener su principio y su fin aparentemente, mas en realidad era una historia que no terminaba nunca. Cuando se fijaba en el Pastor se daba cuenta de que el Pastor parecía sonreir, estirando sus carnosos labios; hasta le oía ronronear de risa, con una risa que le salía del fondo del vientre. «Usté le dirá al Administrador de los Macías que es cosa suya», le dijo. Tenía vergüenza y miedo el Pastor.

—¿Qué les vas a decir a Braulio y a Crisanto, cuando los veas?

—No sé qué les diré.

—¿Sabes que el Amo murió también?, ¿que murió don Mariano?

—A rey muerto, rey puesto —sentenció—. Usted encárguese de hablarle al Administrador, señor Cura. Uno hace lo que se le manda.

Vio que brillaban un instante los ojos del Pastor. Andaba al lado de la mula, pisando entre las piedras, apoyándose en la cayada y tambaleándose como un borracho, sin apartarse de los soplidos y sacudidas de la cabeza de la mula. Quería ir el animal más de prisa, sin hacer caso de las riendas. Balaban las cabras, y venían corriendo en fila, deteniéndose un instante para comer un bocado, acosadas por los perros. No parecía que fuera a llover más. El aire soplaba más caliente por la barranca, y retoñaban los arbustos. Todo estaba medio verde, azulenco, como si reviviera primero la barranca y salpicara después hacia lo más alto, hacia los riscales y matojos.

En llegando al caserío de Navalalta vieron venir corriendo a unos mozuelos gitanos, que traían varillas en la mano.

Arrancaban los mozuelos a cantar y se hacían palmas, para alegrar el camino. A la vera de la senda había detenidos dos carros, desenganchados de las bestias, tapados con trozos de harpillera. Una mujer con falda colorada, larga, tendía sobre la hierba unas ropas andrajosas. El Pastor miró a los gitanos, y rio. «Van bien. Sin nadie que les gobierne», dijo. Le notaba el Cura temblar de risa contenida, mirando a los gitanos. «Los gobierna el hambre», se le escapó decir. «Y Dios, Nuestro Señor». Estaba don Pedro casi seguro de que el Pastor sabía todo lo que había pasado en Osmilla a raíz del que llamaron crimen. Pero estaba también convencido de que Pepillo se había pasado —como él mismamente— los años sin juventud, escondido, sin entender por qué.

—¿Nunca te dijo nada el Administrador?

—Aquí lo contratan a uno pa el pastoreo, y no quieren saber nada más.

No se miraron a los ojos. Se imaginaba don Pedro a Pepillo tartamudeando, muerto de miedo delante del Amo o del Administrador. También tendría que cumplir, más aún que cuando estaba de pastor con Capote. Siempre había oído la misma clasificación para los que trabajaban. Primero era la obediencia. Luego decían: «Es apañao el mozo, y no esconde el hombro. Está a la que cae». También él había tenido que atender primero a la obediencia. Llegaban los seminaristas, en fila, hasta el parque, buscando las sombras. Ni siquiera podían sentarse en el suelo. Ni cuando estaba en casa, incluso antes de irse al Seminario, podía arrugarse el cuello, ni ensuciarse la camisa recién planchada, los pantaloncillos de terciopelo negro o las botas de piel. Recordó que tenía obligación de limpiar las botas todas las mañanas con una corteza fresca de cerdo. Ni podía pecar mirando a las mozas y criadas, ni toquetear a las chiquillas, o, recrearse con los malos pensamientos.

—Tu hermana Marta está casada, y tiene tres hijos.

Iba envarado, tieso sobre el lomo de la mula. Y vio que

el Pastor continuaba andando cabizbajo, tropezando con los matojos de tomillo y sorteando los jarales. Entraron en el camino real, y se detuvieron a esperar a las cabras. Sonaban las esquilas, cada vez más cerca.

—A uno también le ha tocao, padecer lo suyo —dijo Pepillo.

16

En Navalalta había alquilado otra bestia para el Pastor: una mulilla cubierta de mataduras. Así que venían en sendas caballerías. Miraba el Pastor, con ojos asustados, a todos los riscos, arboledas y cruces de camino con que se tropezaban. Tampoco don Pedro podía despegarse de aquella sensación de miedo, ni quería enjuiciar a Pepillo. Sólo quería llegar a Osmilla, cuanto antes, y que los vecinos vieran uno tras otro al Pastor, y que lo reconocieran.

—Ya me acuerdo, hasta aquí he llegao yo de mozo, con el rebaño de Capote.

Acortaron un instante el paso las caballerías, luego, corriendo más, como si ya barruntaran el pueblo. Deseaba el Cura que Marta y todos los vecinos reconocieran a Pepillo, que también lo vieran vivo —sano y salvo— los ricos. Aunque no tenía fe en lo que pensaran, ni en que les corriera más caliente la sangre para quemarles el corazón de remordimiento. Tendrían que rendirse ante la evidencia, pero salvo en lo más aparente, nada movería sus convicciones, sus ropajes, sus abrigos para la comodidad y el sosiego. No sentirían al mundo deshacerse entre sus manos, como no se desalentaban ni repudiaban las corridas de toros por mala que resultase una faena o por cruel que resultase una sexta estocada, un sexto pinchazo con descabello. Era cuestión de palabras. Ellos moverían la cabeza, y, alguno diría: «No, si yo no tengo nada contra la Justicia», y otro: «Eso fue cosa del Juez, o del Juez y del Cabo Tal», y, otro: «Don Mariano lo que pedía era justicia, y encabezaba el deseo de los hombres de bien, pero no quería injusticia», y otro afirmaría que tampoco habían sido tan altas las penas.

Habían salido de madrugada de Navalalta, y serían las cuatro y media de la tarde cuando entraban en Osmilla. Todavía quedaban más de dos horas de sol. Atravesaron las calles del pueblo, y se encaminaron directamente a la iglesia. Las mulas venían sudorosas, cansinas, resoplando y a paso largo por la querencia de la cuadra. Los dos hombres traían los pelos revueltos del aire y las caras curtidas, sin afeitar de varios días. Don Pedro tenía la barba casi blanca, y los ojos le brillaban amenazadores. Al pasar cerca del Ayuntamiento se cruzaron con uno de los hijos de Capote, que paseaba acompañado por otros dos mozos. Llevaba las manos metidas en el bolsillo del pantalón de pana. Y volvió la cabeza —la boca abierta— al oir los cascos de las caballerías.

—Buenas tardes, don Pedro.

Tiró de las riendas el Cura. Detuvo la mula, atravesándola en mitad de la calle. Pepillo también acortó el paso de la bestia, y terminó parándola. Se quedó allí Pepillo, aunque llevaba el cuello doblado, comba la espalda, y los ojos fijos en el pescuezo sudoroso de la mula.

—¿Sabeis quién es éste? —señaló don Pedro—. Es Pepillo el Pastor, el que a decir de todos nosotros, había muerto entre Braulio y Crisanto

—¿Pepillo el Pastor?

Una mujer cargada con una cántara de agua, aguardó arrimada al muro. El hijo de Capote y los otros mozos se acercaron unos pasos, y no quitaban ojo al Pastor, que seguía a horcajadas sobre la bestia, muy espatarrado, con las puntas de los pies apuntando hacia el suelo.

—Ave María Purísima. Ave María —murmuraba la mujer de la cántara.

—Es Pepillo, de carne y hueso. Y ni Braulio ni Crisanto le hicieron nunca daño. Estaba de Pastor en la Sierra —señaló, de nuevo, don Pedro.

Tanto los mozos como la mujer y otras dos vecinas que llegaron, miraban al Pastor. Le miraron, llenos de asombro.

—¿Es Pepillo el Pastor?

—Sí, el mismo —dijo el Cura. Se inclinó desde el lomo de la mula—. Vete a avisar a tu padre, Capote. Y al Alcalde, avisa a todo el mundo de parte mía. Diles que les aguardamos en la Sacristía de la iglesia. Avisar también a Marta.

Se santiguaban las mujeres. La mujer de la cántara seguía arrimada a la pared, rezando por lo bajo y soltando madresmías. El Cura arreó a su mula, y Pepillo le siguió con la suya, detrás. Algunos chiquillos andrajosos, habían llegado a todo correr. Acompañaban el paso de las caballerías.

—Sí, sí. Es Pepillo el Pastor. Está más aviejao, pero es el mismo que pastoreaba el rebaño de Capote, y que decían habían muerto —se oía decir a la gente.

Dejó el Cura abiertas de par en par las puertas de la iglesia. Pepillo le ayudó a mover las dos grandes hojas. Pasaron a la Sacristía. Don Pedro miró desde la puerta, antes de entrar. Y vio que todo estaba en orden, como siempre: un velón de esperma, medio gastado, en una palmatoria, sobre el paño con puntillas amarillentas de la cómoda, las sillas arrimadas a la pared empapelada, el suelo de madera, con olor a lejía, el Santocristo y la mesa con el tintero. Aunque hacía frío, se agradecía el reposo, después de la larga caminata. Se sentaron, y no habían terminado de acomodarse cuando empezó a llegar gente. Se oía ajetreo a la puerta, y los pasos que se arrastraban en silencio, atravesando la nave vacía del templo.

Le ardía entero el cuerpo. Se desabrochó todos los botones del abrigo y los del cuello de la sotana. Los primeros en llegar fueron los mozos y las mujeres. Algunos ni tan siquiera tenían edad para recordar a Pepillo. Miraban embobados. «Le tenían de seguro secuestrao», comentó uno. «Hasta lo sabrían la hermana y el padre». Pepillo se ponía más nervioso, con el murmullo de la gente. Al poco llegaron el Alcalde, don Eladio el Médico, Capote con sus dos hijos mayores, y los muchachos que se habían tropezado con el Cura en la calle hacía un momento.

—¿Qué hay de nuevo, don Pedro? ¡Santa María de Riánsares! —dijo el Alcalde.

—Ya ven. Aquí lo tienen —señaló el Cura.

Se les notaba el sofoco de la carrera. El Médico se limpió el rostro con un pañuelo blanco. Había tomado asiento cerca del Cura, y se inclinó a su lado. Se disputaban todos las pocas sillas.

—Que conste que uno no tiene nada en contra de que salga a la luz la verdad, don Pedro —dijo en voz baja—. Ayer mismo estuvieron aquí unos hombres mandados por los Macías. Siempre se verá la forma de arreglarlo con bien para todos.

—A mí se me ocurre que podemos hacer un acta reuniéndose ante la sesión municipal de Osmilla, y mandar un comunicado reconociendo la presencia de José Huete. Se mandaría el comunicado a Talmonte, sin que nadie salga malparado —dijo don Blas. Hablaba muy de prisa, atropelladamente—. Ya sabrá usted, don Pedro, que pusieron en libertad condicional a Braulio y Crisanto. Están desde ayer en el pueblo.

—Así cambia algo la cosa —dijo Capote—. Aunque sea porque cumplieron, cambia —se volvió, sin mirar abiertamente al Cura—. Usté si que le ha echao valor, don Pedro.

Hablaban todos, sin parar. Pepillo oía retumbar las conversaciones y las palabras, como una tormenta que rodaba por su cabeza igual que por una garganta de la Sierra. Se encontraba en la misma soledad. No entendía ni veía nada. Cerró los ojos, dos o tres veces. «Es Pepillo. No es una aparición, es Pepillo el Pastor, de carne y hueso». No tenía a nadie en el pueblo; y aún no había comparecido su hermana Marta, que estaba ya casada y tenía una recua de hijos. Le hubiera gustado más saltar por la Sierra, aunque fuera pleno invierno, y hubiera de caminar por la parte más alta, viendo los neveros y las grietas de hielo y tierra.

—¿Eh, don Pedro?, ¿qué le parece la idea de escribir esa acta municipal?

Miraba el Cura todo alrededor. Algunos hombres y mujeres apenas se decidían a entrar. Llegaban, tímidamente, hasta la puerta misma de la Sacristía. Quedaban con la espalda aplastada en la jamba, los ojos espantados, sin atreverse a seguir más adentro. Atravesando la nave de la iglesia se oía un parloteo de mujeres, en voz baja.

—¿Voy a llamar al Braulio y al Crisanto? ¿Los llamamos? —preguntó uno de los mozos que acompañaba a los hijos de Capote.

—Ya se habrá corrido la noticia por el pueblo —alzó los hombros don Blas.

Cada vez venía más gente. Se oía un arrastrarse de pasos, en fila, como cuando en Semana Santa llegaban los fieles a rezar ante el Monumento rodeado de velas encendidas y humeantes, entre el sofoco de la cera ardiendo.

—Entonces... ¿no voy? —insistió el mozo.

Le resonaron a Pepillo los nombres de Braulio y Crisanto, dentro de la cabeza. Tenía miedo. Le latía toda la sangre; aunque apenas si se acordaba de la cara de ellos. Desvió la vista, cuando vio que lo miraba el Cura. Recordó, sí, de pronto, como un relámpago al fin, a Braulio bebiendo vino de la bota, a la puerta de la taberna. Tenía la blusa desabrochada, enseñando todo el bello del pecho. «¿Es que no te gustan las mozas, Pepillo? ¿O es que tu padre quiere castrarte como a un guarro?», le decía. Hablaban de mujeres. Se reía Pepillo, y seguía la broma. Tenía miedo a Braulio, cuando Braulio bebía, cuando era Braulio capaz hasta de matar a un hombre.

—Entonces... ¿no voy? —insistía el mozo.

El Cura iba mirándoles a todos, uno a uno. Pese a que,

por un instante, le pareció yacer entre ellos como muerto; como si no hubiese preparado él aquella reunión. Se habían asomado a la puerta unas cuantas mujeres. Traían a Marta entre ellas, cogida por los brazos, pero la soltaron en seguida. Quedó tiesa como un varal, frente a la silla del Pastor. Nadie podía afirmar que los dos hermanos se vieran por primera vez, después de tantos años. Se sujetaban recíprocamente las miradas, y pasaron así un largo instante. Marta hundiendo la mirada, como si quisiera descubrir hasta lo más oculto de Pepillo; pero sin dudar de que era él su hermano.

—Me ha traído el señor Cura —dijo el Pastor, mientras se abrazaban.

Una de las vecinas rompió a llorar. También llegó Brígida. Venía Brígida entre todas, pero en lugar de quedarse rezagada a la puerta, entró hasta donde estaba sentado Pepillo con los principales. Se arrimó detrás de la silla del Cura. Cogió con sus dos grandes manos el travesaño de la silla. La sentía don Pedro respirar, detrás. Hablaban unos con otros los vecinos, un poco en voz baja, como por respeto o miedo al lugar; un respeto que no era obstáculo, sin embargo, para que se corriera el murmullo hacia la nave de la iglesia, por lo oscuro, entre los relumbres que venían de los altares iluminados por alguna solitaria vela.

—Es él: Pepillo el Pastor.

Sentía cerca del cuello, en el respaldo de la silla, las manos quietas de Brígida. La oía como si ella rezongara o dijera cosas por lo bajo, entre dientes. Quería don Pedro atender a todo lo que ocurría a su alrededor, aunque temía que no iba a poder resistir hasta que se fuera el último de los vecinos.

—¿Vivirás en casa de tu hermana y tu cuñao? —preguntó alguien.

—Si es que vivo, pararé allí —dijo Pepillo.

—Le vendría bien ahora descansar, un buen sueño —dijo el Médico—. Y a usted no digamos, don Pedro —se volvió.

Había algún hueco entre la gente. Los pocos que continuaban llegando venían de la calle sabiendo ya a qué atenerse; y una mujer dijo: «Está aquí, para escarnio de todos, los que inventaron la burla, y los que la creímos». Y una viuda se acercó haciendo reir, reventar de risa en un instante, a los otros: «Vaya, estás bien vivo y eres de carne y hueso». Aprovecharon el Alcalde y el Médico y Capote, para ponerse en pie. Pepillo se fue con Marta. Y gran número de vecinos salían, detrás. Se oía el arrastrar de pasos por la nave de la iglesia, como en Semana Santa, cuando las visitas al Monumento. Brígida había soltado las manos del respaldo. La vio salir don Pedro. El Alcalde y el Médico volvieron a sonreir, moviendo a un lado y a otro la cabeza.

El Cura se quedó un rato solo en la Sacristía, sentado con las piernas abiertas, en la misma posición que cuando estaba toda la iglesia llena de gente. Se levantó y fue a cerrar la puerta del templo, arrimando el hombro y empujando hasta conseguir mover las grandes hojas. Se sentía cansado, aunque al mismo tiempo muy tranquilo, con más serenidad en su pensamiento. Tan cansado estaba que le parecía que no iba a poder abrir las puertas nunca más. Subió las escaleras que conducían a la vivienda. No hacía frío y entreabrió los balcones. Notaba llegar la primavera, como un barboteo lejano en el cuerpo, mientras se ponía el sol. Se desnudó y se enjabonó la cara, para afeitarse con agua fría. Estuvo afilando primero, y, después limpiando, la navaja barbera, apenas sin pensar en nada. Se lavó el cuerpo, hasta las axilas y las ingles. Gastó toda el agua del jarro del palanganero. Había manchado todo el suelo de agua, y, desnudo, se metió en la cama. Le parecía haberse quitado de encima algún antiquísimo pecado o tribulación. Entraba el aire, moviendo la persiana y hasta la ropa de la cama. Se pasó un rato tiritando de frío, sintiendo como se hacía de noche. Veía un trozo ancho de cielo, desde el lecho. Sabía con seguridad solamente una cosa: que no podría mirar abiertamente a los ojos de Blas y de don Eladio y de doña Flor. Habría de marcharse del pueblo. Tenía que elegir, y se daba cuenta de que nunca hasta que fue a buscar al Pastor había elegido el más insignificante acto de su vida, siempre entre el hastío y el tedio y la hartazón por la buena mesa y la taza de café bien azucarado. Pensó que por la mañana escribiría a un pariente suyo que vivía en la Corte, para que viera de relevarle de la Parroquia de Osmilla. Tenía que hacerlo o desangrarse definitivamente. Escuchaba el borboteo, el lejano y tenso susurro del campo.

Brígida, al salir de la iglesia, siguió por la calle principal. Se arrimó a la pared, y adelantó al grupo de gente que rodeaba al Pastor. Más adelante, en la misma calle, en las puertas de las casas y en las esquinas, en pequeños corros, hombres y mujeres comentaban la vuelta de Pepillo. Se detuvo varias veces para escuchar. «Hola, Brígida». «¿Qué?» «Ahora nadie dirá». Le saludaron algunos. Estuvo escuchando lo que decían. No le importaba llegar tarde a casa de sus amos. Se sentía segura, más firme y crecida que nunca, a los ojos de sus paisanos. Tampoco le tenía miedo a doña Flor, y sabía que por nada iban a regañarla aquella noche, llegase a la hora que llegase.

Anduvo despacio. No hacía frío. En seguida iba a oscurecer; y le parecía a Brígida que, pronto, fuera a desbordarse el tiempo bueno, y a romper a volar los murciélagos recién despiertos a las noches calientes, como cuando iba al manantial a esperar a su mozo. Imaginó que cruzaba la sombra vacilante de un murciélago, igual a los que cazaban los chicuelos, echando una gorra al alto, para luego clavarlos vivos en un tapial y dejarlos morir borrachos con un cigarro encendido ahogándoles la pequeña boca.

Iba distraída; y se dio de cara con cuatro hombres que venían arrastrando los pasos, calladamente. Sólo uno silbaba algo entre dientes. Los dos hombres, que caminaban por el centro de la calle, iban cogidos de la mano, como en las fotografías que mandaban los quintos; pero eran mucho más viejos. Tenían que ser Braulio y Crisanto. Los reconoció apenas, aunque imaginó que eran ellos, más que por otra cosa porque no recordaba haberlos visto nunca en el pueblo. Dedujo que eran ellos. Braulio era un tipo grandón, cargado de espaldas, de cara muerta y vieja, que vestía unos pantalones anchos de pana y una chaqueta del mismo género y gorra negra de visera. Andaban en alpargatas.

Brígida y el hombre se miraron, tropezaron las miradas de los dos, tibiamente. Pasó Braulio de largo sin reconocerla, sin saber que decirse. Estaba ya de espaldas la mujer.

—Es la Brígida —dijo uno de los acompañantes, de los que iban pegados a la pared.

—Adiós.

—Con Dios —levantó Braulio la mano, torpe, sin avivar apenas los ojos.

Brígida siguió, durante un buen trecho, andando más de prisa, con pasos cortos y rápidos. Volvió otra vez la cabeza, y vio que no miraban ya los hombres. Continuaban Braulio y Crisanto cogidos de la mano, como los quintos. Ocupaban las espaldas de los hombres toda la calleja. Les perdió de vista por la revuelta. El pueblo estaba solitario por aquel lado. El aire movía un montón de plumas caídas y formaba pequeños remolinos, que terminaban en los charcos. Corrían las plumas sin romper el brillo del agua.

Al llegar cerca de la casa de sus amos, miró al escalón de la entrada, delante de la hoja de la puerta. Y recordó cuando, hacía tantos años, había pasado allí toda la noche al sereno, encogida y gimoteando para que la recogieran. Echó a correr, ahogada, hasta alcanzar la puerta. La respiración le raspaba en la garganta. Llegó corriendo al tranquillo, y se puso a empujar y golpear en la madera de la puerta, con los puños cerrados. Pero la hoja de la puerta estaba sólo encajada, y cedió.

Marta iba al lado de Pepillo, pero ni miraba siquiera a la gente. Tenía ella los mismos ojos furiosos y la cara llena de aspereza, seca, igual que siempre. Los vecinos, que marchaban detrás, hablaban en voz baja, entre ellos; mascullaban, e iban dejando solos a los dos hermanos. De una corraliza salió un hombre tirando de un borriquillo, y también volvió la cabeza. Tiró del animal, y se montó a mujeriegas. Se había colocado delante del grupo como abriendo paso a Marta y a Pepillo. Fue en silencio, arreando al borrico hasta que en llegando a la plaza arrancó a gritar, y a hacer aspavientos.

—Mirarles. Son el Braulio y el Crisanto.

Se habían dado de cara con los hombres que venían en dirección contraria. La gente se aglomeraba formando un gran corro. Algunos se abrían paso, a codazos, hacia las primeras filas.

—¿Qué pasa? —se asomó un mozo, con la barbilla adelantada en actitud interrogante.

—Es Pepillo.

Los hombres que acompañaban a Braulio y a Crisanto, habían arrugado la frente, como si intentaran recordar. Pero la mayor parte de la gente miraba sin quitar ojo a los que habían estado presos. Muchos, ni los habían visto hasta aquel mismo momento en la plazuela. Y les parecían forasteros, más forasteros aún que el Pastor. Se apretaba el corro de gente. Había mucho silencio. Sólo se oía el arrastrar de los pasos, y el esfuerzo de la gente que se empinaba para ver mejor.

—Es Pepillo. Por él habéis estao presos —dijo una voz de mujer.

Braulio y Crisanto miraban al Pastor con una expresión como de apuro y vergüenza. Se habían soltado las manos, pero estaban casi hombro con hombro, en medio del corrillo. No se atrevían a mirar cara a cara al Pastor, que estaba más encogido que nunca.

—Mucho ha sufrido el Braulio y el Crisanto —dijo una mujer vieja—. Mucho que han sufrío los pobres.

—El Pastor y Marta sabrán... —dijo otra mujer.

—Mirarles —dijo uno de los que se empinaban—. La Marta y ése tenían que saberlo tó.

—Es un infeliz. ¿No veis?

—A ver lo que le hacen ahora el Braulio y Crisanto.

—Yo de ellos... bien que le iba a dar ahora. Lo iba a partir en cachos de verdá.

—A ver...

—¿Qué pasa? Mirar al Braulio y al Crisanto que se han tirao la mitá de su vida en la cárcel.

—Sí. Toa su juventú encerraos entre cuatro paredes. ¡Tenían que haberlo echao de verdá a los cerdos!

—Es un infeliz. La pécora de la Marta, ésa es la que tenía que saber...

—Fijaros ahora.

—Dejar sitio. Apartarse —decían los vecinos, empinándose.

Marta se quedó tiesa, engallada, duros los tendones del cuello. Buscaba con la vista un hueco por donde atravesar la barrera de gente.

—¡Meteros cada cual en lo vuestro! —gritó—. ¡Qué sabéis nadie!

Pepillo oía todas las voces revueltas, un estruendo de voces. «Eh, tú». «¡Mirar ahora al Braulio y a Crisanto!» «Encerraos toa su juventú». Miraba el corrillo de caras que no conocía, ni recordaba, extrañas. Incluso su hermana le era igual de extraña. Había calles y rincones oscuros y tapiales y árboles como los de un sueño. Braulio mozo tenía que ser otra persona. Le rodeaban las caras iguales de la gente, y los dientes blancos, riendo en lo oscuro. «Mirar la cara de miedo del Pastor». Veía los cuerpos aglomerados en la entrada de la plazuela, como hormigas alrededor de un gusano. Marta estaba tiesa, diciendo: «Dejarle a una en paz». Se abría paso Marta entre los vecinos. Pepillo se encontraba solo, como cuando cruzaba las gargantas, o como cuando, en verano, dormía al raso, fuera del chozo, por si iban a buscarle. Oía el crujido de las pezuñas de los perros, cuando rompían las ramillas de piorno quemado, que prendían fuego para espantar a los lobos. Sentía pasar a los perros, y el lamido áspero de la lengua. Era mejor. Lo malo era el trote de los caballos. Lo malo era que fueran en su busca el Bizco y el otro guarda jurado, con las carabinas en bandolera, porque se lo hubiera ordenado el Administrador. Resultaban como los gavilanes planeando sobre la paramera, clavando el ojo, por ver dónde se movía un bicho entre la tierra.

—Mucho han sufrío Braulio y Crisanto por ti, Pastor —oyó de nuevo a la mujer.

A los recién salidos de la cárcel se les notaba un aire pacífico, las ganas de seguir su camino, sin más. Lo notó, entre las caras hostiles de la gente. Dio un paso Pepillo. Crisanto medio se encogió de hombros. Hizo un gesto cansado Braulio, y se metió las manos en el bolsillo del pantalón ancho y nuevo, de pana.

—Yo no he tenío la culpa de ná —murmuró Pepillo. Le salpicaba la saliva de la boca, y no se decidía a mirarlos a la cara.

Quedó un instante todo el gentío en silencio. Ni Braulio ni Crisanto demostraban ninguna rabia. Estaban callados, aburridos frente al Pastor. La luz del atardecer les daba en las caras y en las manos flacas, pálidas y sarmentosas, manos de no haber trabajado en muchos años.

—También yo he sufrido —dijo Pepillo. Se acercó cabizbajo, echando una carrerilla. Se abrazó a Braulio, y se sorbía una y otra vez, nerviosamente, la nariz—. También yo he sufrido por vosotros; no por mí, por vosotros —le dijo, casi al oído, sin despegarse, colgado del cuello de Braulio, del cuerpo rígido y espantado de Braulio.

17

No hacía sino esperar el momento en que debía irse del pueblo. Esperaba al nuevo Párroco. La mañana estaba clara y fresca. Suerte que el sol iría apretando y templaría el día. Pero sólo eran las ocho. El Cura que iba a relevarle igual podía llegar hoy, que mañana, que dentro de unos días. Se hacía largo el tiempo. A eso de las ocho y media tenía que regresar a Talmonte el auto que cada cuatro o cinco semanas venía a casa de Capote con drogas, medicinas y alguna herramienta.

Capote y el chófer se acercaron a verle, por si quería algún recado para la Cabeza de Partido. Siempre se acercaban a verle, antes de partir. Don Pedro les vio entrar en la Sacristía. Traían las bilbaínas quitadas, arrugadas en la mano. El chófer entró más tímidamente, quedándose atrás, observando —con una mezcla de extrañeza y respeto— los objetos de culto, poniendo disimulo en sus ojos de descreído, y abrochándose los botones del cuello de la camisa sin corbata.

—Qué dia —dijo Capote, señalando hacia el cielo—. Ya tenemos encima a la primavera... Así es que no quiere usted nada para Talmonte, don Pedro.

—Nada —dijo negando con la cabeza.

—Aquí —dijo Capote, señalando al chófer, con la barbilla saliente—. Aquí va también a Cuenca, luego o mañana...

Negó de nuevo con la cabeza; y dio unos pasos, acompañándoles hacia la puerta, sin saber qué decir. Sonrió tibiamente, medio distraído. «¿Nada nuevo por el mundo?», dijo.

Se encogió de hombros el chófer, como con ganas de agradar, y se acercó más a don Pedro.

—En Cuenca comentan que va a haber elecciones pa concejales —sonrió—. Y los papeles dieron que hace dos días ha habido una muerte en el término de Serrijón.

—¿A quién mataron?

El chófer puso cara interesante. Le daba como un poco reparo hablar allí. Desde la puerta de la Sacristía, miró de soslayo a los altares, donde se veían algunas velas encendidas, y desde donde llegaba el olor de la cera.

—Han atracao a uno que hacía de Administrador de los Macías en Serrijón. El caso es que lo encontraron muerto.

Don Pedro quedó mudo, sin saber qué decir, aunque no hizo la menor muestra de asombro. Y el chófer tomó aquel silencio por interés. Se inclinó, medio sonriente, al oído del Cura.

—Dice el papel que eran dos; y deben haber puesto tierra de por medio, si es que no han cogido el tren y han cruzado ya la raya... «Cuatro tiros y a Portugal», como reza un dicho por mi tierra, que soy de Salamanca —añadió en voz baja, mirando a lo hondo de la iglesia, y al tiempo que sonaba pitos con los dedos.

Anduvo de prisa el chófer, por la iglesia, para alcanzar a Capote, que iba un trecho más adelantado. Todavía se volvieron para saludar con respeto al Cura. Hicieron jenuflexión, y se santiguaron al cruzar cerca del altar mayor. La iglesia estaba completamente solitaria. Se quedó don Pedro apesadumbrado. Y no se hubiera atrevido a confesarle a nadie lo que se figuraba. Además, ni siquiera le quedaba un alma con quien poder hablar confiadamente.

Imaginaba cómo serían los hombres que, a caballo,

habían ido a buscar al Pastor a Navalalta. Se habrían pasado los días persiguiéndole por la sierra adentro, acercándose a todos los rebaños, buscando a un hombre hasta detrás de las matas de jara, igual que buscan desde lo alto los gavilanes y aves de rapiña. Pero Pepillo hasta se había asustado cuando desde unos matojos movieron la larga cola y saltaron al vacío, igual que flechas, las hurracas. Le parecería oír siempre el trote de los caballos, o el paso disimulado por las sendas, a media ladera, entre un rodar de piedras. Se imaginaba, sobre todo, al hombre que era Administrador de los Macías. No le había visto nunca cara a cara. Pero suponía que sería un hombre ya viejo, con gruesa mujer e hijos, un hombre con cara requemada por el sol y el aire, ojos abiertos de pronto al miedo, terroríficos, fuera de las órbitas y mirando al vacío, muertos en medio del campo de abril. Ya susurraba todo el campo, y quizá que hasta tendrían flores blancas las jaras resguardadas del Norte.

Vino el chico y se puso a preparar las cosas de la Misa, sin que don Pedro se diera cuenta. Nunca iba don Pedro a poder borrarse aquellos pensamientos. Se sentó en la misma silla donde se había sentado cuando volvió de Serrijón con el Pastor. De nuevo notaba que todo lo que ocurría en la vida se escapaba de sus manos. No iba a poder borrarse aquellos pensamientos. Se puso en pie, sin darse cuenta de que el monaguillo traía la ropa de oficiar. Desde la puerta de la Sacristía vio las figuras entreveradas, borrosas, de tres viejas que se hallaban en los bancos de la iglesia, cerca del reclinatorio de la Comunión.

—No, vete, Andrés —dijo.

—¿No va a decir Misa? ¿Es que está malo?

El chico le miró sin entender nada. Se quitó la ropa de Misa que se había puesto distraídamente. Ayudado por el chico, echó la casulla y la estola sobre el respaldo de la silla, y subió escaleras arriba.

Desde el balcón del cuarto se notaba la mañana clara

y fría. Se marchaba entonces el auto. No había oído gritar a los chicos, que solían ir siempre a verlo arrancar. A lo mejor era que los chicos se habían acostumbrado ya, o que ni siquiera iban a verlo partir.

El auto, aunque no había camino carretero, seguía la senda de Talmonte. Desde el balcón vio un buen rato al auto atravesando por mitad del llano. Mirando desde la ventana se diría que la mañana no era distinta a cualquier otra. El Cura no le había dicho a nadie que iba a irse del pueblo. Pero no podía más. Sacó la maleta y la ropa del armario, que fue dejando sobre la cama deshecha. Estuvo paseando mucho rato, paseando inquietamente, de punta a punta de la habitación.

Serían las nueve cuando subió Brígida con la taza de chocolate y el plato de picatostes. La mujer puso el desayuno sobre la mesilla de noche.

—¿Está usté malo, don Pedro? Eso decía el monaguillo.

—No me pasa nada.

Miró Brígida a las ropas que estaban encima de la cama, y se fijó en la maleta abierta. No habló. Mientras ponía un poco de orden en la habitación, tenía una expresión tierna y casi embobada en los ojos. Luego, dobló la ropa, sin decidirse a meterla en la maleta.

Se bebió de dos tragos el chocolate. Trajo una silla y la puso de cara al balcón. Se sentó, y estuvo un largo rato mirando a través de los cristales, hacia los tejados, el humo de las chimeneas y el campo abierto, mientras Brígida recogía las cosas en la habitación. La mujer había abierto el otro balcón, para que se ventilara el cuarto; pero dejó cerrado el que utilizaba don Pedro.

Oyó don Pedro, detrás, que Brígida estaba cepillando la ropa. Venía un olor a vinagre. «Es para que no haga brillos, por si va usté a la Corte, y tiene que alternar con otra gente», dijo la mujer. Se volvió él para mirarla. Estaba sentada en el bordillo de la cama deshecha, y mojaba las cerdas del cepillo en la taza.

—¿Se va usté en seguida?

—Sí. Tengo que irme.

—¿Hoy?

—Puede que sea hoy mismo.

Brígida se había puesto a llorar, sin llevarse las manos a la cara. Le caían enteras las lágrimas. La vio, con el rabillo del ojo, pero no tenía valor para levantarse de la silla y consolarla. Fue creciendo el llanto de Brígida. El Cura la oía llorar, a su espalda; y se dio cuenta de que la mujer no sentía vergüenza ni le importaba nada que él la oyera.

—Mujer —dijo.

Por el balcón se divisaba el campo llano, y, a lo lejos, a la derecha, un trozo de monte bajo cerca del camino de Serrijón, con el color oscuro del jaral. Había pasado el Cura por allí en busca del Pastor. Brígida seguía llorando, pero no dejaba su trabajo, sentada en el borde de la cama.

—Mujer, mujer. Deja ya eso. Tienes demasiado trabajo con arreglar la habitación.

Don Pedro se puso en pie. Brígida ya no lloraba, aunque tenía las mejillas y la cara mojadas, y le temblaban el pecho y la garganta al respirar. No quiso mirarla, porque sentía un nudo seco y áspero en la garganta, igual que cuando tuvo miedo junto al Pastor, y volaron sólo las hurracas en los roquedales. No pasó más. Veía el monte bajo y hasta el comienzo de la sierra, todo empequeñecido por la distancia. Habrían llevado al Administrador por allá, parameras adentro. Los caballos chapoteando el suelo con los cascos. Iría el Administrador en la mula, delante, descompuesto el vientre de miedo. Torcerían por una senda, sin árbol, ni nada que permitiera calcular una distancia o del tamaño de las montañas. Irían los caballos pegados a la mula del Administrador. El Administrador puede que rezara por lo bajo, o ni siquiera rezara, preocupado en convencerles. «¿Qué vais a hacer?» «¿Qué vais a hacer conmigo?» Se volvería el Administrador, a cada paso, con la saliva a medio masticar en la boca, seca. Y miraría como un rayo a la paramera. «¿Qué me vais a hacer?». No había ni un árbol, únicamente montañas. En el cielo puede que planeara algún ave de rapiña, muy alto. «¿Qué vais a hacerme?». Arrearía a la mula, sin poder evitar el terror. Saltaría el aire, y estallarían hasta los trozos de polvo. Por un minuto todo el campo quedaría en absoluto silencio. El cuerpo grueso, grasiento se descolgaría de la espantada mula, de la mula espantada durante muchas horas, de la bestia que estaría espantada y con los ojos igual a los de un loco, sedienta hasta que encontrara un matojo fresco del que poder comer.

Terminó de hacer las maletas, poco después de que se fuera Brígida. Se puso el abrigo raído, encima de la sotana. Sabía que a eso de las dos de la tarde, salía una tartana con cántaras de leche para Talmonte. Todo el espacio entre los asientos laterales solía ir lleno de cántaras, pero bien había sitio para una persona. Si tomaba a tiempo la tartana, tendría tiempo de coger el tren en el Empalme, y otro en Albacete de madrugada. Al día siguiente podía estar en la Corte. Miró, por última vez, al pueblo, desde el balcón. Hacía aire. Se deshacía el humo de alguna chimenea sobre los tejados. El cielo seguía raso, sin nubes. Cuando cerraba la puerta miró a su cuarto. La cama estaba recogida; pero con la luz del día se veían las paredes sucias, salpicadas de moho sobre el palanganero. Bajó las escaleras, arrastrando las dos maletas. Tropezó con la barandilla de la escalera, y se detuvo en la Sacristía, ciego, y sin mirar a ninguna parte. Atravesó, casi a tientas, la nave de la iglesia. Sólo en el altar del Santo Cristo y el del Sagrario ardían unas velas. Se le llenaron los ojos con las esquirlas de la luz. La puerta estaba medio abierta. Le dio una bocanada de viento en la cara, reviviéndole. Un instante, dejó las maletas en el suelo, y se encajó la teja. Le daba el aire en la espalda, empujándole, impulsándole a seguir. Le dolían las palmas de las manos con el peso.

Y los cantos de las maletas le tropezaban en las piernas. Un chiquillo pecoso —el hijo de un jornalero— se le quedó mirando.

—Un servidor le ayuda, señor Cura.

Oyó los pasos del chico a su lado, durante un trecho. A ratos cerraba los ojos. Algunas mujeres se asomaron a las puertas, cuando cruzaba. Engalló un poco la cabeza, bisbiseando los saludos, y sintiendo los ojos de asombro clavados en él. Ya estaba la tartana a la puerta. Un hombre fofo y cincuentón que se llamaba Avilio estaba subiendo las cántaras.

—¿Podrías llevarme a Talmonte?

—Claro, don Pedro. Además vamos medio de vacío —dijo. Miró a las maletas, y se las quitó de las manos, para colocarlas delante—. Lleva usté mucho equipaje —sonrió. Siguió su trabajo, al ver que don Pedro no le miraba. El hijo de Avilio iba sacando las cántaras llenas hasta el pie del carro. Oía el Cura el ruido de las cántaras, y el esfuerzo del mozo, detrás.

—Ya no hay más por hoy —dijo la voz del muchacho.

Don Pedro se sentó en el banquillo que había al lado derecho. El olor de la leche de cabras y el aire que llegaba tibio desde la calle soleada, le daban ahogo. Miraba únicamente el hueco de calle y de cielo que se veía bajo el toldo de la tartana: un tapial amarillento de adobes y la casa de Avilio, con el tejado lleno de hierbas crecidas.

Más que verla venir fue que sintió los pasos de Brígida, y el estremecimiento de la tartana cuando la mujer puso las manos encima. No habló ella, al principio; sólo apoyó las manos abiertas sobre la tartana. Estuvo así hasta que asomó Avilio.

—Yo también voy, Avilio —dijo en una media pregunta.

—¿Tú?

—Sí. Yo también voy.

—Psch —alzó los hombros el lechero.

Brígida traía puesto un vestido negro, descolorido,

que le caía algo estrecho. Desde arriba veía don Pedro el cuello fuerte de Brígida y la cara enteramente cubierta de bozo rubio, como el polvillo que cubre a las frutas. Levantó Brígida un instante la vista, con los ojos medio cerrados, alegres y tiernos. Él no se atrevió a decirle nada. Sentía los movimientos lentos de Avilio al subirse al pescante, y la mirada que Avilio echó hacia atrás de la tartana. Brígida se sentó en el otro asiento lateral. Los cascos de la mulilla sonaron por los adoquines del pavimento; y, luego, la tartana se deslizó rápidamente por el campo aventado y lleno de luz.

18

Son tantos los muertos que se les pierde el respeto. Además, no eran sepulturas como las del pueblo, como las de Braulio y Crisanto, donde la tierra es casi virgen. Yo he visto hasta cementerios sin árboles, en medio del campo, y limitados por una tapia de piedras o pizarras apiladas, en lajas. Mi madre y don Pedro me mandaron a Osmilla durante los años del hambre, a casa de la hija de Marta. En Osmilla, al menos, había pan candeal. Por eso sé yo cómo era el pueblo y el cementerio. Aquí en Madrid no son sepulturas, sino pudrideros. Yo estaba al tanto de la exhumación, por si oía el nombre de Pepillo Huete. Sonaban los golpes desperdigados de los huesos sobre la caja de la camioneta municipal. Seguían echando, allí, los huesos que no reclamaba nadie. No había calma en este cementerio. Era lo que yo notaba. Pasó un hombre con una bombona a la espalda, y otro a su vera, que llevaba un fumigador. Lanzaron una nube de humo picante sobre el lecho de tierra roja, que queda al fondo del pudridero vacío. También regaron los montones de trozos de maderas podridas y de tierra pastosa. Un hombre alto, enteco, y una mujercita, cogidos de la mano, se empinaban al borde de una fosa, honda, donde ya sacaban los restos más antiguos. El obrero municipal llenaba la espuerta con tierra y huesos que estaban allí desde hacía veinte años: lo que quedaba de un entierro en birlocho de tercera clase con caballos negros sin penachos ni oropeles.

—Pedro Burgallo Ansón, Mariano Campillo Alcalá, María de la Asunción Fraile Santoña... —empezó a leer uno de los oficiales sobre otra fosa.

Nos arremolinamos alrededor, pisando la tierra amontonada, que se oreaba al viento. Soplaba a rachas el aire, y una muchacha se sujetó las faldas con la mano. A lo lejos, se vencía las copas de los cipreses.

—Tenía una trenza muy larga la Maruja, ¿no? —preguntó una mujer vieja.

—No veo la trenza —respondió otra de moño canoso.

—A lo mejor no es la Maruja.

Murmuraban entre ellas. Me aparté un trecho, y fui a caer junto a la camioneta casi llena de huesos manchados de tierra húmeda, como cortezas de árbol. No había raíces entre la tierra. Lo más triste es que los muertos no pasen ni siquiera a ser, luego, árboles o plantas o frutos y que se los coman los pájaros. Arrancó la camioneta, con cuidado, dando bandazos entre el terreno blando. Se colocó al otro lado, en la parte a la que llevaban ahora las espuertas llenas. Vi a la vieja que terminaba de forrar con papel de estraza la caja de madera. Doblaba los últimos trozos. Iba recortando con unas tijeras de punta redonda, pequeños rombos. Quedaba todo el borde del forro con dibujos calados, como los papeles de periódico que ponen las viejas en los vasares de la cocina.

Oí el nombre de José Huete. Esperé a que izaran la espuerta. La tierra estaba más bien húmeda, formando grumos y terrones, entre los huesos y los zapatos en pedazos. Yo estaba cansada de soportar tanto tiempo de pie. Eché a andar detrás del hombre. Cuando nos detuvimos se pasó un rato espurgando entre los restos y trasvasando huesos a la cajita de madera.

—Puede llevarla usté misma. No pesa nada —me dijo,

mientras le daba la propina. Cerró la tapadera con el pestillo.

Tomé la caja debajo del brazo, apoyándola en la cadera, igual que en el pueblo llevan las cántaras de barro. Subí una leve pendiente en dirección a los setos, que removía el aire con un susurro. En lo más alto, se veía un bosque de tumbas elegantes, con lápidas y cruces de mármol negro o blanco y de granito de la Sierra de Guadarrama, gris y con puntitos brillantes de mica. Delante había una garita de madera. Salió un hombre con gorra del Ayuntamiento de Madrid, y me ayudó a descansar la pequeña caja.

—¿Perpetua?

—Sí.

—Trescientas seis —me dijo, y me entregó un recibo.

Vino otro empleado con blusón de rayadillo, quien tomó la caja y salió andando a grandes zancadas.

—Venga usté.

Seguí detrás de él, apretando el paso, y echando carrerillas. Cruzamos delante de las tumbas, de una explanada interminable de cruces altas y bajas. No alcanzábamos con la vista a leer los epitafios. Había una carretera asfaltada, por la que cruzó, rápidamente, un automóvil. Llegamos a un terraplén cubierto por un muro enorme de ladrillo rojo, en el que se abrían infinidad de pequeños nichos, más pequeños y menos profundos que los nichos de la entrada del cementerio. Era como una estantería, con huecos diminutos, cuadrados, del fondo preciso para que ajustaran las cajas de madera.

Sobre una escalera de mano, en los travesaños más altos, había un albañil grueso, vestido con blusón blanco. Tapaba los huecos con un par de azulejos y una paletada de yeso fresco. Amasaba, de vez en vez, en una artesa que tenía apoyada sobre la misma escalera.

—La obra que hace es provisional —dijo el hombre que me ayudaba a llevar la caja.

A lo lejos, como viniendo del arroyo Abroñigal o de

donde estaban los oficiales y la tapia de los fusilamientos, se oía el guirigay de la gente que rodeaba a los pudrideros. Soplaba el aire y volvía a encalmarse. Era fresco el viento, pero picaba el sol, como si pasara a través de una lente.

—Ya sabe el sitio. Tiene apuntado el número —dijo el hombre que traía la caja.

Le di las gracias, y esperé a que el albañil tapiara el nicho. Regresé, buscando la parte más solitaria y abandonada del cementerio. No vi ni una sepultura como las del pueblo, sobre las que suele crecer la hierba, y hasta en las poco cuidadas, cardos y retamas. Sólo me tropecé con dos asistentas que fregaban una lápida, empleando agua y cepillos. Salí por la puerta que da frente al cementerio civil.

Eran cerca de las dos de la tarde, cuando llegué al barrio. Salí del «Metro», y crucé bajo los arbolillos todavía desnudos de la plaza. Había muchas mujeres y chiquillos tomando el sol. Nuestra calle está plagada de tabernas, donde entran y salen los hombres charlando y gastándose bromas. Son muchos años de tabernas. Crucé despacio delante del chiscón de la portera. No había nadie. Subí las escaleras. Mi madre salió a abrir, renqueando, con las zapatillas en chanclas, y caídas las medias negras de algodón.

—¿Qué tal está el tío?

—Pasa a verle —me señaló la puerta cerrada del cuarto, en el ancho pasillo con baldosines colorados. Entraba un haz de sol por el montante. Había un olor a lejía y a cocido rancio.

Abrí cuidadosamente la puerta. Don Pedro estaba en la cama y tenía los ojos cerrados. Pero movió los brazos y estiró el embozo de la cama. Lo encontré, si cabe, más delgado. Se le notaban los huesos, debajo de la piel, y se le transparentaban las venas de las muñecas. Le miré con ahogo, y me senté a los pies de la cama. Estuve así un rato, desesperada, igual que cuando en la guerra, siendo niña, bajábamos al sótano y tenía que esperar en la silla de la portera a que terminara la alarma.

—Ya he hecho su mandado, tío.

Entreabrió los ojos, y le di el recibo del cementerio. Le tuvo en la mano, sin leerlo.

—¿Es perpetua?

—Sí.

Al poco rato se quedó dormido, y el papel se le escurrió de entre los dedos. Yo, en el fondo del todo, me alegraba de haberle hecho el favor.

Terminóse de imprimir en octubre de 1964, en
los talleres de I. G. Seix y Barral Hnos., S. A.
Provenza, 219 - Barcelona